TALES OF SPANISH AMERICA

THE MACMILLAN HISPANIC SERIES

Under the General Editorship of J. P. WICKERSHAM CRAWFORD, Professor of Romance Languages, and OTIS H. GREEN, Assistant Professor of Spanish, in the University of Pennsylvania.

SELECTIONS FROM THE PROSE AND POETRY OF RUBÉN DARÍO
Edited by GEORGE W. UMPHREY and CARLOS GARCÍA-PRADA

LA VIDA DE UN PÍCARO, by JUAN CANO

LOS ABENCERRAJES
Edited by J. P. WICKERSHAM CRAWFORD

CUENTOS HUMORÍSTICOS ESPAÑOLES, by JUAN CANO
Edited by EMILIO GOGGIO

GIL BLAS DE SANTILLANA
Edited by J. P. WICKERSHAM CRAWFORD

CAMINO ADELANTE, by MANUEL LINARES RIVAS
Edited by NILS FLATEN and ARTURO TORRES-RIOSECO

EASY MODERN SPANISH LYRICS
Edited by M. A. DEVITIS and DOROTHY TORREYSON

EL SOMBRERO DE TRES PICOS
By PEDRO ANTONIO DE ALARCÓN
Edited by J. P. WICKERSHAM CRAWFORD

UNA APUESTA and HUYENDO DEL PEREJIL
By MANUEL TAMAYO Y BAUS
Edited by CONY STURGIS and JUANITA C. ROBINSON

FIVE SPANISH PLAYS FOR STUDY AND STAGE
Edited by WILLIS KNAPP JONES and DANIEL DA CRUZ

ENSAYOS Y SENTENCIAS DE UNAMUNO
Edited by WILFRED A. BEARDSLEY

ARTÍCULOS DE LARRA
Edited by J. HORACE NUNEMAKER

INTERMEDIATE SPANISH COMPOSITION
By E. ALLISON PEERS

EL DIABLO BLANCO, by LUIS DE OTEYZA
Edited by WILLIS KNAPP JONES

A CARA O CRUZ, by ARMANDO PALACIO VALDÉS
Edited by GLENN BARR

LAS MEMORIAS DE MAMÁ BLANCA
By TERESA DE LA PARRA
Edited by CARLOS GARCÍA-PRADA and CLOTILDE M. WILSON

DON QUIJOTE DE LA MANCHA
By MIGUEL DE CERVANTES SAAVEDRA
Edited by JUAN CANO

LOS MALHECHORES DEL BIEN, by JACINTO BENAVENTE
Edited by IRVING A. LEONARD and ROBERT K. SPAULDING

LA BARRACA, by VICENTE BLASCO IBÁÑEZ
Edited by PAUL T. MANCHESTER

TALES OF SPANISH AMERICA
Edited by M. A. DEVITIS and DOROTHY TORREYSON

LA AMÉRICA LATINA
ESCALA DE KILÓMETROS
0 500 1000 2000
ESCALA DE MILLAS INGLESAS
0 500 1000 2000
(In.) Inglaterra
(M.) Méjico
(F.) Francia
(E. U.) Estados Unidos
(H.) Holanda
ESTADOS UNIDOS
DOM. DEL CANADÁ
Quebec
Montreal
Ottawa
Halifax
Boston
Nueva York
Filadelfia
Baltimore
Washington
Charleston
Chicago
Omaha
Salt Lake City
Denver
Cincinnati
Sn. Luis
Na. Orleans
Galveston
el Paso
los Ángeles
S. Diego
FLORIDA
Is. Azores (Portugal)
OCÉANO ATLÁNTICO
Is. Bermudas (In.)
TRÓPICO DE CÁNCER
Is. Bahamas (In.)
Golfo de Méjico
MÉJICO
Tampico
Méjico
Mazatlán
Guadalajara
Popocatepetl
Vera Cruz
YUCATÁN
Acapulco
la Habana
Cuba
Haití
Sto. Domingo
Pto. Rico (E. U.)
Jamaica (In.)
Guadalupe (F.)
Martinica (F.)
Trinidad (In.)
M. de las Antillas
Is. Revilla Gigedo (M.)
GUATEMALA
HONDURAS
SALVADOR
NICARAGUA
AMÉRICA CENTRAL
COSTA RICA
PANAMÁ
I. Clipperton (F.)
Cartagena
Colón
Caracas
Pto. Cabello
Orinoco
Georgetown
Paramaribo
Cayena
Bolívar
Mérida
VENEZUELA
Bogotá
COLOMBIA
GUAYANAS (In.) (H.) (F.)
R. Negro
ECUADOR
Quito
Guayaquil
Cuenca
Is. Galápagos (Ecuador)
AMAZONAS
Amazonas
Marajó
Belem
S. Luis de Maranhao
Ceará
C. S. Roque
Pernambuco
Manaos
Madeira
Tapajos
Xingú
Araguay
Tocantins
Juruá
Purús
BRASIL
MATTO GROSSO
Aracajú
Bahía
Goyaz
Cuyabá
OCÉANO PACÍFICO
Lima
Callao
PERÚ
Cuzco
Arequipa
L. Titicaca
la Paz
BOLIVIA
Arica
Iquique
Sucre
Antofagasta
TRÓPICO DE CAPRICORNIO
Ó GRAN OCÉANO
CHILE
Jujuy
PARAGUAY
Asunción
So. Paulo
ITATIAYA
Río de Janeiro
Santos
I. S. Félix y S. Ambrosio (Chile)
Is. Juan Fernández (Chile)
Coquimbo
Valparaíso
Santiago
Concepción
Valdivia
Córdoba
Mendoza
Rosario
Sta. Fe
Corrientes
REPÚBLICA ARGENTINA
URUGUAY
Montevideo
Buenos Aires
Río de la Plata
Desterro
Pto. Alegre
Ro. Gr. do Sul
I. Chiloé
Bahía Blanca
Go. de Sn. Jorge
PATAGONIA
I. Wellington
Is. Falkland (In.)
Punta Arenas
Estr. de Magallanes
Tra. del Fuego
C. de Hornos
S. Juan
Pto. Rico (E. U.)
Sta. Cruz (E. U.)
Sn. Martín (F. y H.)
Barbuda (In.)
Antigua (In.)
S. Cristóbal (In.)
Guadalupe (F.)
Dominica (In.)
Fuerte de Francia
Martinica (F.)
Sta. Lucía (In.)
Sn. Vicente (In.)
Granada (In.)
Tobago (In.)
Is. de Barlovento
Is. de Sotavento
Margarita
Trinidad (In.)
la Guaira
Caracas
PEQUEÑAS ANTILLAS
MAR DE LAS ANTILLAS

TALES OF SPANISH AMERICA

With Exercises, Notes, and Vocabulary

BY

M. A. DEVITIS
ASSOCIATE PROFESSOR OF MODERN LANGUAGES, UNIVERSITY OF PITTSBURGH

AND

DOROTHY TORREYSON
INSTRUCTOR IN MODERN LANGUAGES, UNIVERSITY OF PITTSBURGH

New York
THE MACMILLAN COMPANY
1933

Set up and electrotyped. Published September, 1933.

SET UP AND ELECTROTYPED BY THE LANCASTER PRESS, INC.
PRINTED IN THE UNITED STATES OF AMERICA
BY THE FERRIS PRINTING COMPANY, NEW YORK

Al

Muy noble caballero y poeta

D. Rafael Heliodoro Valle

PREFACE

This book has been prepared to acquaint our pupils with some of the best known traditions of the nineteen Spanish-speaking countries of America, and to afford readable, interesting, and idiomatic material for elementary Spanish courses in high schools and colleges. Classroom experience has shown that to read a work of any literary value immediately after the usual beginner's reader is a sheer *tour de force*, resulting in boredom for both pupils and teacher. Hence this collection of short stories, legends, traditions, anecdotes, and poems of our sister-countries, which has been prepared as a suitable connecting link between the *First Reader* and the novel or play that may follow. In some classes it can be used immediately after the fundamentals of Spanish grammar have been learned.

In the preparation of this reader, the needs of beginners have been kept constantly in mind. Great care has been taken to select material that will prove both interesting and profitable to the pupils. The selections are short and easy to understand; their style is simple, and yet they preserve the flavor of the original sources from which they have been derived. The few Americanisms that appear in some of the stories add to their "local color."

The book consists of an introductory poem on America, and one story and one poem from each of the nineteen Spanish-American countries. The poems, which are from writers of the last fifty years, have been included not only on account of their interest but also because nowhere else does the soul, the very spirit of the Spanish-American people, speak so directly as it does in poetry. While the poems may be omitted at the discretion of the teacher, the editors have found that the pupils not only enjoy them but that the verses lend themselves very easily to conversation, paraphrasing, composition work, and memorizing.

Textual difficulties are explained in the Notes, reference to which is denoted by the presence of an asterisk. The numbers in the text proper refer to the notes in Spanish, which immediately follow the given selection. These notes have been put into very easy Spanish and the meanings of all the words have been included in the Vocabulary. They should be included in the assignment for study.

The Vocabulary, which totals about 3200 words, contains about seventy-two per cent of words having a frequency average of ten or above, according to Buchanan's *Graded Spanish Word Book;* 150 are verb forms and numerals, and 625 are words that resemble their corresponding English meanings.

The editors wish to acknowledge their indebtedness to the following sources for some of their material: José Milla (Guatemala)—*El puente de los esclavos;* Dr. Pedro Joaquín Chamorro (Nicaragua)—*El tesoro restituído;* José Oller (Panama)—*Chagira y Neye;* Manuel Jesús Galván (Dominican Republic)—*Generosidad de Enriquillo;* Manuel Fernández Junco (Puerto Rico)—*La garita del diablo;* Juan Montalvo (Ecuador)—*El condenado a muerte;* Juan Zorrilla y San Martín (Uruguay)—*Tabaré;* and J. Natalicio González (Paraguay)—*La muerte desviada.* For much of the other material the editors are under special obligation to the late Baronesa de Wilson, the indefatigable Spanish globe-trotter and writer, who unselfishly placed at our disposal the immense store of material that she had gathered during her several trips to the New World. Finally, we acknowledge our indebtedness to the distinguished Honduran poet, Don Rafael Heliodoro Valle, a member of the Department of Public Instruction and Professor of Spanish in one of the public schools in Mexico City, who read and criticized the manuscript with painstaking care, and to Professor Otis H. Green for invaluable suggestions throughout the preparation of the manuscript.

M. A. DeV.
D. T.

PITTSBURGH, PA.
August, 1933.

REMARKS ON SPANISH VERSIFICATION

In order to read Spanish verse intelligently the pupil should be acquainted with the fundamental principles of Spanish versification, which are *meter*, *rime* or *assonance*, and *rhythm*. Only rules are given here which apply to the poems in this book.

(a) In Spanish each verse-line has a definite number of syllables. Every word contains as many syllables as it has vowels (diphthongs and triphthongs counting as single vowels).[1]

Es el en-sue-ño del pai-sa-je

But:

Ge-o-me-tri-za su te-la ca-si va-na

(b) Within a verse-line, the final vowel or diphthong of one word and the initial vowel or diphthong of a word immediately following usually combine to form one syllable. This is called *synalepha*.

Yo sé que en ca-da pie-dra hay un des-ti-no,
que hay un an-sia en ca-da ho-ja que se mue-ve.
(11 syllables)

(c) The letter *h*, which is always silent, is disregarded.

In-cóg-ni-ta a los hom-bres, in-cóg-ni-ta a la his-to-ria
(14 syllables)

[1] Diphthongs may consist of a strong vowel (*a*, *e* or *o*) and a weak vowel (*i*, *y*, or *u*): *ai*, *ay*, *eu*, *oi*, etc.; or of two weak vowels: *iu*, *ui*, etc. If two strong vowels come together, we do not have a diphthong, but two distinct syllabes: *ca-er*, *le-er*, etc. A written accent over one of two syllables which might otherwise form a diphthong, indicates division into two syllables: *mí-a*, *cre-í-do*, etc. A strong vowel between two weak ones forms a triphthong, which is pronounced in one syllable: *fiáis*, *a-ve-ri-guáis*, etc.

(d) Two vowels within a word, forming two distinct syllables (*i.e.* a combination of two strong vowels) may count as one syllable, for metrical purposes, as *aho-ra* for *a-ho-ra*. This is called *synaeresis*.

Geo-me-tri-za su te-la ca-si va-na
(11 syllables)

Synalepha and synaeresis are important factors in Spanish versification since Spanish verse depends upon a determined number of syllables per line.

(e) The concurrence of two vowels in two successive words or syllables without contraction (*i.e.* without synalepha), is called *hiatus*. Hiatus is used to dissolve synalepha.

Ho-ja que||hu-ye de la bri-sa le-ve
(11 syllables)

(f) Vowels of three successive words do not combine if the middle word is the conjunction *y*.

Car-los la a-do-ra||y o-ye en el sue-ño
(10 syllables)

(g) Spanish consonantal rime is the same as in English. However, Spanish has also a vocalic rime, called *assonance*, in which the vowels are the same, beginning with the last stressed syllable, but the consonants different. An example of this in English would be such words as w*a*r*y* and b*a*b*y*, in which both words have an assonance in *à-a*, but the consonants different.

Seguí s*o*l*o*,
con la cruz de mi trist*e*z*a*;
contemplando dol*o*r*e*s,
en el fondo macilento de mis p*e*n*a*s
van tus s*o*l*e*s;

van tus labios con sonrisas hechic*e*r*a*s
y va t*o*d*o*
el espléndido conjunto de bell*e*z*a*
de tu cuerpo y de tu r*o*str*o*.

There are three assonances in this stanza: verses 1, 7, 9 in *ó-o;* verses 2, 4, 6, 8 in *é-a;* and verses 3, 5 in *ó-e.*

(h) Spanish verse does not have the strongly marked rhythmic accent of English verse. The syllables should be read evenly, with the exception of a slight emphasis or pause in the longer verses, called *caesura,* upon the word that bears the rhythmic stress.

The shorter verses have ordinarily one rhythmic accent, which generally falls upon the syllable nominally preceding the final syllable.

Cultivo una rosa bl*a*nca

In an eleven-syllable line, there is a secondary accent which ordinarily falls upon the fourth or the sixth syllable.

Con paso t*a*rdo, caminando a ti*e*ntas
Yo no puedo viv*i*r sin un af*e*cto

(i) A verse whose last word is stressed on the last syllable is called *verso agudo.* In a *verso agudo* the last syllable counts for two.

An-sio-so vo-lan-do va
1 2 3 4 5 6 7–8
(8 syllables)

A verse whose last word is stressed on the next to the last syllable is called *verso llano.*

So-bre el cam-po el a-gua m*u*s-tia
1 2 3 4 5 6 7 8
(8 syllables)

CONTENTS

LIST OF ILLUSTRATIONS

PÓRTICO

América

Incógnita a los hombres, incógnita a la historia,
la América vivía del mundo en un rincón;
un día se descubre como ilusión de gloria
al genio de los genios, al inmortal Colón.

Dejando sus hogares Colón y sus guerreros 5
avanzan inspirados del genio de la luz.
Y al fin la tierra encuentran, se abrazan placenteros,
y plantan en sus playas la enseña de la cruz.

—*Luis Rodríguez Velasco* (Chile: 1839–1919)

I

MÉXICO Y CENTRO-AMÉRICA

Teocalli Azteca—México

La noche triste

(Relato histórico mexicano)

*A principios del siglo XVI *llegó Hernán Cortés[1] a México, y *después de apoderarse a traición de la persona del emperador, Moctezuma II,[2] estableció su cuartel general en la capital, Tenochtitlán.[3]

En mayo de 1520 los aztecas[4] se reunieron en el *teocalli*[5] mayor para celebrar una gran fiesta. Entretanto *llegaron los españoles al mando del cruel Pedro de Alvarado[6] y empezaron a matar sin causa alguna a aquella muchedumbre indefensa. A todos acuchillaron, a los grandes señores aztecas, los nobles, los altos dignitarios y los sacerdotes, allí en el patio del *teocalli*, derramando sangre a raudales, *sin perdonar a nadic.

* * *

Esta espantosa carnicería ejecutada en la nobleza principal y en los habitantes pacíficos de la capital irritó de tal modo al pueblo azteca que se sublevó en masa. Al mando del valiente Cuitlahuactzín, hermano del emperador, asaltaron al cuartel en que se habían fortificado los españoles.

Durante tres días repitieron sus furiosos asaltos *hasta que, convencido Cortés de que ya era imposible sostenerse por más tiempo, resolvió abandonar para siempre la maldita ciudad de Tenochtitlán, en donde los incautos

* Throughout this text the asterisk indicates that the word or phrase following is explained in the Notes. Other references are to the "Notas Aclaratorias" at the end of each selection.

conquistadores creían obtener desde luego palacios magníficos.

Antes de efectuar la salida del cuartel, que *debía ser en las sombras de la media noche del 30 de junio, Cortés
5 *mandó asesinar a Moctezuma, el emperador que se había entregado a la generosidad y a la caballerosidad del inicuo y pérfido caudillo español.

En el interior de aquel palacio los españoles hacían rápidos preparativos para una salida repentina. Pensa-
10 ban aprovecharse de la lluvia, el estruendo de los truenos, las luces de los relámpagos y la complicidad del lodo y de las tinieblas.

—¡Oh! Marina—dijo Cortés en aquellos momentos tristes a su india favorita, que le servía de intérprete y
15 consejera—dime, ¿qué debo hacer? *¿Salgo? . . . ¿No ves la tempestad?

—¡Oh! señor, *hoy lo mismo que mañana, todo es igual. . . . ¡El azteca está colérico! Esta noche será terrible, será triste, ¡oh, muy triste! ¡Sal, sal fuera de
20 Tenochtitlán! ¡Sobre todo *ya no se puede volver atrás! ¡Adelante! Y *que haya mucho silencio; gran sigilo; paso a paso todos. . . . La noche es obscura . . . ¡pero las noches obscuras son traidoras! . . . ¡Sin embargo, adelante! . . .

25 Cortés oyó sombríamente las palabras de aquella inteligente *malinche*,[7] mientras en torno *se escuchaba el confuso rumor de los preparativos que se hacían para la salida.

Como la capital estaba construída sobre las islas y
30 orillas del Lago Texcoco, las tropas españolas tenían que atravesar varias cortaduras.

Los aztecas dormían al parecer. Por la ciudad mexicana, silenciosa y desierta, atravesaron los españoles con

El Árbol de la Noche Triste—México

sus aliados, los traidores tlaxcaltecas,[8] y ya se creían libres y se preparaban a echar un puente portátil sobre el canal, cuando resonó la voz de alarma que, repercutiendo por todas partes, hizo surgir centenares de guerreros a la vez que el vibrante sonido del *teponaxtli*[9] atraía a las calzadas y a los canales a los encarnizados enemigos de los españoles.

A duras penas pasaron los castellanos el puente, y ya había dado orden Alvarado de levantarlo para ponerlo en la segunda cortadura cuando, con el peso de las tropas y de la artillería, se hundió en el fango, siendo imposible moverlo. El combate se trabó cuerpo a cuerpo. Los españoles, acometidos por todas partes y sin modo de seguir su marcha, se declararon en completa derrota.

Aquella noche horrible, que la historia califica de «Noche Triste», costó a Cortés la mitad de sus tropas españolas, cuatro mil tlaxcaltecas, muchos caballos, todos los cañones que llevaba consigo, la mayor parte de las armas de fuego y casi todo el tesoro de que se había apoderado en el palacio de Moctezuma.

¡Cuán lúgubres pensamientos aquella noche triste en el alma del caudillo español que, habiendo logrado escapar con vida, se sentó a llorar su derrota debajo de un *ahuehuete*,[10] no muy lejos de la capital, solo, triste, ansioso! Desde allí podía ver las inmensas hogueras encendidas en la cima del *teocalli* mayor, a cuya luz los sacerdotes del terrible dios de la guerra, Huitzilopochtli, arrancaban el corazón a los prisioneros españoles.

NOTAS ACLARATORIAS

1. **Hernán Cortés** (1485–1547). Capitán español y conquistador de México.
2. **Moctezuma II** (1466–1520). Emperador azteca de México.

3. **Tenochtitlán.** Nombre azteca de la ciudad de México.
4. **aztecas.** Uno de los pueblos más antiguos de México.
5. ***teocalli.*** Templo antiguo de los aztecas.
6. **Pedro de Alvarado** (1486–1541). Uno de los principales capitanes de Cortés; conquistador de Centro-América.
7. ***malinche.*** Voz azteca que significa «mujer».
8. **tlaxcaltecas.** Una de las tribus mexicanas que por el odio que sentían por los aztecas, se aliaron con los españoles.
9. ***teponaxtli.*** Instrumento de espantosa resonancia.
10. ***ahuehuete.*** Árbol semejante al ciprés.

Tú y yo

Hoja que huye de la brisa leve,
armonía que vuela del laúd,
luz que se ausenta de la triste sombra,
*eso eres tú.

Viento que va tras de la arista inquieta, 5
eco que sigue pertinaz la voz,
sombra que al lado de la luz suspira,
eso soy yo.

—*Adalberto A. Esteva* (México: 1863–1914)

El Puente de los Esclavos

(Leyenda guatemalteca)

A quince leguas de la capital de Guatemala,[1] hacia el sudeste, hay un pueblecito situado a orillas de un río, y sobre éste hay un magnífico puente. El pueblo, el río y el puente son conocidos hoy con el mismo nombre de 5 «Los Esclavos». El primero recibió este nombre en la época de la conquista española, porque habían sido sus desdichados moradores *los primeros marcados con el hierro de la esclavitud, en castigo de la resistencia tenaz que opusieron a los conquistadores. Del pueblecito to- 10 maron el nombre el río y el puente.

En el siglo XVI, cuando España se apoderó de Centro-América, se construyó este puente para no interrumpir el tráfico entre la capital y las comarcas orientales del país en la estación de las aguas, cuando el río no se podía 15 vadear. A pesar de la solidez con que los españoles lo construyeron, las crecientes del río maltrataron mucho el puente, de modo que se han necesitado de vez en cuando reparaciones.

* * *

No obstante que existen crónicas atestiguando la cons- 20 trucción de dicho puente por los españoles, la imaginación popular se complace en atribuirle un origen misterioso y extraordinario.

Así, se cuenta que en tiempos remotos, un rico y cruel propietario tenía gran número de esclavos, a quienes 25 castigaba duramente por las más leves faltas. Una vez

El Puente de los Esclavos—Guatemala

sucedió que uno de aquellos desdichados estaba condenado a ser castigado con crueldad, *por no se sabe qué descuido. Buscando los medios de evitar su desgracia, el esclavo llamó en su ayuda al diablo.

—¡Daría mi alma por evitar el castigo que me amenaza!—le dijo. 5

—Concedido—,contestó el diablo, que había aparecido apenas el desgraciado, sin saber lo que decía, había hecho su promesa.

El diablo, con astucia, combinó sus planes y dijo al esclavo: «Ve a ofrecer a tu señor que le entregarás concluído en una sola noche un sólido y hermoso puente sobre el río, obra que le reportará gran utilidad.» 10

La idea pareció feliz al esclavo y quedó firmado el pacto. El diablo haría el puente; el hombre le entregaría el alma. 15

Aceptó el amo la oferta y se suspendió la imposición de la pena. Puso en el instante Satanás manos a la obra, haciendo de arquitecto y de albañil. *Mandil ceñido, escuadra y cuchara en mano, comenzó a construir el puente como por encanto. Los arcos *iban formándose uno en pos de otro, y *terminados, edificó el piso del puente y los pretiles con el arte y la diligencia de un maestro. 20

Mas sucedió que el esclavo, a medida que adelantaba la obra, comenzó a inquietarse por la promesa que había hecho, y dispuso eludir su compromiso. Se dirigió al río hacia el amanecer, y encontrando que el artífice daba ya la última mano a su obra, *se le acercó disimuladamente y mostrándole una cruz que llevaba oculta, hizo huir al común enemigo de las almas, quien no tuvo tiempo sino para dar un manotón al remate del puente, desgajando la última piedra, que dicen falta desde entonces, pues 25 30 aunque la han colocado varias veces, vuelve a desaparecer.

El astuto esclavo entregó al día siguiente la obra al amo, *a quien por lo visto importó poco que fuese hecha
5 o no por malas artes, y no sólo quedó salvo de la pena sino también obtuvo la libertad en premio.

* * *

Tal es la leyenda que la fantasía popular guatemalteca ha ideado relativa a la construcción del Puente de los Esclavos.

NOTA ACLARATORIA

1. La capital de Guatemala es la ciudad de Guatemala, situada en una región montañosa, casi en el centro del país.

La lección de las cosas

Yo sé que en cada piedra hay un destino,
que hay un ansia en cada hoja que se mueve,
y que es fecunda en su aridez la nieve
como es fecundo el polvo del camino . . .

Yo sé que hay una voz en cada trino, 5
que hay un suspiro en cada brisa leve,
y que en la ola de furor aleve
canta y solloza el corazón marino . . .

Yo sé que tiembla un alma en cada cosa;
que el perfume es el alma de la rosa, 10
y que hasta el surco que en su seno encierra

la exultación de la simiente obscura,
sabe que por su húmeda blandura
ha palpitado el alma de la tierra.

—*Gerardo Díaz* (Guatemala: contemporáneo)

La Leyenda de Amelicatl

(Relato salvadoreño)

Huyendo de los blancos que habían incendiado su palacio de carrizos de la laguna, en el pequeño caserío destruído cien veces por los arroyos del Lamatepec,[1] se encontraba oculto con sus mujeres y sus hijos el cacique 5 Xochitl.

El indio invocaba a sus dioses. Pedía a Túnel,[2] el sol, ocasión para sacudir el yugo y presenciar el exterminio del invasor, que le empujaba al valle y allí le cazaba como al ciervo.

10 Un guerrero empenachado, deseando amedrentar al cacique, hizo alto en Huic-Ozcol,[3] para contarle la muerte del gran Atlacatl,[4] rey de Cuscatlán,[5] y el indio temblaba de miedo, rodeado de sus mujeres y sus hijas, entre las cuales se destacaba por su lindeza la graciosa Amelicatl.

15 Amelicatl, de color de canela, alta y esbelta, de negra cabellera, ojos vivos, y con su enagua de plumas de *quetzal*,[6] estaba radiante de hermosura.

Al ver ésta a un extranjero de armadura brillante y casco de plumas, dando un grito de horror echó a correr, 20 ligera como un ciervo, perseguida por el audaz desconocido.

Tras largo correr, el atrevido mozo preparó una segura emboscada. La india cayó enredada en los breñales de la selva, y el joven la ayudó a levantarse y, asiéndola 25 cariñosamente, trató de borrar de aquel semblante las huellas del horror.

Para ello le habló con dulzura y cariño; la cuidó y

mimó, y Amelicatl cambió su mirada recelosa por otra de confianza y gratitud. El invasor le dió muchos besos, mientras le repitió mil frases de ternura y le juró que la adoraba entrañablemente.

Amelicatl comprendió al extranjero. Supo que aquello que le decía era que no quería separarse de su lado, que en él tendría siempre un defensor. La mujer de color de canela concluyó por creer al extranjero y, de la mano los dos, se dirigieron a la choza del amendrentado cacique, padre de la india.

Xochitl, al ver a aquel hombre de la raza de los que incendiaron su palacio, avanzaba *fiero y receloso. Un grito de su hija libró de una muerte cierta al joven.

—Cálmate—dijo la india—; el blanco es bueno. Me quiere; me ha besado; me ha dicho que soy igual a él, que nos protegerá. Cálmate, padre; le quiero mucho.

El extranjero entregó sus armas al cacique en señal de sumisión, y en medio de las más extrañas emociones, comprendió éste lo que ocurría entre su hija y el recién llegado.

Todos los indios prorrumpieron en gritos de contento, todos . . . menos uno, Jicahuit, que, enterado de *lo ocurrido, partió veloz, internándose en la espesura, *sin que las voces de Xochitl le detuviesen.

El castellano y la india se entendieron perfectamente. Ella le señaló un paraje lejano donde podrían construir una choza, primitiva, pequeñita, ideal.

*Llegados al deseado paraíso los dos jóvenes construyeron una choza. El mozo decía a su esposa cuánto la quería, *de todo lo que era y sería capaz de hacer por ella.

Los dos cantaban y reían, cuando de repente se oyó como un fatídico lamento. Era el *tecolotl*,[7] el ave de mal agüero, que lanzó su gemido como presagio de muerte. Amelicatl tembló; una palidez lívida invadió su semblante. Su esposo corrió para ahuyentar al importuno que turbaba su idilio amoroso, pero en aquel momento 5 una saeta emponzoñada partió del bosquecillo próximo e hirió en el corazón al hombre blanco, que cayó desplomado.

Recordó entonces la india las promesas que en otro tiempo hizo al hombre que hoy la privaba del ser a quien 10 tanto quería, y la infeliz mujer cayó sobre el cadáver del infortunado guerrero.

* * *

Xochitl, seguido de sus mujeres e hijos, tuvo que escapar en busca de un albergue. Los blancos se acercaban y le matarían seguramente. Llegó el desgraciado cacique 15 al paraje escogido poco antes por Amelicatl y encontró a sus pies los cadáveres de su hija y el soldado español. El desventurado padre cavó dos sepulturas, tan próximas, que se tocaban por su base, y en ellas enterró a los dos enamorados.

* * *

20 Cuentan los indios de aquellas cercanías que de las dos tumbas brotaron dos fuentes frescas y límpidas, y que de noche, a la luz de la luna, cual nubecilla visionaria, se levantaban sobre ellas dos figuras que, juntas y cogidas de las manos, cruzaban las aguas de la vecina laguna.

NOTAS ACLARATORIAS

1. **Lamatepec.** Volcán en el norte de El Salvador. Se llama comúnmente volcán de Santa Ana.

2. **Túnel.** El Sol, al cual adoraban como dios supremo los indios de El Salvador.

PAISAJE SALVADOREÑO

3. **Huiz-Ozcol.** Población en el oeste de El Salvador, a unas seis millas de Santa Tecla.

4. **Atlacatl.** Rey de Cuscatlán cuando llegó Alvarado a aquel país. Codiciando éste de apoderarse de los tesoros del rey, Alvarado le dió muerte después de ser muy bien recibido por Atlacatl.

5. **Cuscatlán.** Nombre indígena de El Salvador.

6. ***quetzal.*** Ave de la América tropical, de plumaje verde tornasolado y rojo. Fué muy venerado entre los antiguos habitantes de México y Centro-América. Figura en las armas de Guatemala.

7. ***tecolotl.*** Lechuza, en el lenguaje azteca.

Dile que . . .

Brisa[1] que *tierna en el pensil florido
finges ufana con tu voz amores;
tú que acaricias de mi *bien la frente,
oye mi canto.

5 Oye las notas que[2] del alma mía
entre sollozos el dolor arranca,
y en tu lenguaje arrobador, mis quejas
dile al oído.

Dile que absorto el pensamiento vive
10 fijo en su imagen apacible y tierna;
dile que sueño con su amor, y loco
quiero adorarla.

Dile que en vano mi razón adusta
quiere este afecto sofocar en germen:
15 dile que sordo el corazón palpita
férvido al verla.

Dile que es pura mi pasión ardiente,
como la luz que en sus pupilas brilla:
dile que en fuego sacrosanto el pecho
20 arde por ella.

Dile que a solas mi ilusión la mira,
como sublime aparición del cielo:
dile que en horas de ansiedad la nombra
trémulo el labio.

Dile que es nada para mí la vida,
si no ha de unirse mi existir al suyo:
dile que en ella mi esperanza cifro,
sobre la tierra.

Dile que glorias, porvenir, fortuna, 5
pompa, grandezas, esplendor, placeres,
cuanto hay daría por vivir en su alma
¡sólo un instante!

Dile que sólo por su amor deliro,
dile que sólo por su amor yo sufro, 10
y que si ingrata mi pasión desecha,
*¡dile que muero!

—*Francisco Castañeda* (El Salvador: 1856–1916)

NOTAS ACLARATORIAS

1. Construcción: **brisa que en el pensil florido finges, tierna y ufana, amores con tu voz.**

2. Construcción: **que el dolor arranca, entre sollozos, del alma mía.**

La Muerte de Lempira

(Cuento histórico hondureño)

Era la tercera década del siglo XVI. Los pueblos indígenas de Honduras que nunca habían causado molestias a los conquistadores, comenzaban a sublevarse contra el extranjero.

Por ese tiempo, cerca de las cumbres del Congolón,[1] en el monte Cuyocuntena,[1] se rebeló el cacique Lempira contra la dominación de los españoles, atrayendo a sus filas más de doscientos pueblos, con los que formó un ejército como de treinta mil hombres. Al tener noticias el capitán Alonso de Cáceres[2] de esta gran insurrección, envió a su lugarteniente, Juan de Chávez, a dominar al intrépido cacique.

* * *

Juan de Chávez se había distinguido en Centro-América a las órdenes de Pedro de Alvarado, quien en 1536 *le encargó que buscase sitio para fundar una nueva población, que *había de servir de escala del uno al otro mar. Como los españoles habían andado muchos días sin encontrar terreno a propósito, al llegar a una hermosa llanura, regada por un río, exclamaron «Gracias a Dios». Allí se erigió un pueblo y la exclamación piadosa que le dieron por nombre se conserva hasta hoy.

* * *

Andaba Juan de Chávez por los riscos próximos a Gracias a Dios,[3] queriendo someter a Lempira. Se hallaba el cacique atrincherado en el peñón de Cuyocuntena, en las serranías de Cerquín. Joven, audaz, de atlética estatura era Lempira. Cuando los blancos *le mandaron que se rindiera, les contestó con firmeza: «Los míos lucharán con sobrehumano esfuerzo. Si mueren ciento, miles ocuparán su puesto. Abrid, pues, el combate.» 5

A pesar de que lograron sitiarle, nada contra él podían los españoles. Ni perdía Lempira oportunidad de hacer sus salidas atacando y derrotando partidas de españoles, a quienes en cada encuentro hacía muchas bajas. 10

Llevaban ya como seis meses de sitio, sin poder obtener la más pequeña ventaja, cuando llegó la estación lluviosa para aumentar los sufrimientos de los sitiadores.

Cansados estaban los españoles de ir y venir por los cerros, pues nada podían hacer para sujetar al cacique. 15 Esto obligó a Chávez a enviar mensajeros a Lempira, haciéndole proposiciones de paz, que eran rechazadas con energía por el valeroso cacique, que estaba resuelto a devolver al país la libertad perdida.

Contrariado Chávez excesivamente por aquella tenacidad, apeló a la traición, como único medio de acabar, 20 según él, con la insolencia de Lempira. Para llevar a cabo su traición, *dispuso que fuese un soldado de a caballo a conferenciar con el cacique. Este parlamentario debía llevar otro a la grupa, con su arma oculta, 25 para dispararla en el momento oportuno.

Lempira, no sospechando nada, apareció en el filo del reducto, sin arreos de defensa, pues no se imaginaba que le estaban engañando. Se acercó al parlamentario y le preguntó: «¿Cuáles son las bases de vuestro avenimiento?» 30 En ese momento la respuesta fué una detonación. El blanco, o mejor dicho el asesino que iba a la grupa, disparó el tiro y la bala fué a herir en el pecho a Lempira.

Vaciló éste, y luego *se le vió caer de la eminencia del Congolón, por las escarpadas rocas.

Mientras Lempira rodaba peñas abajo, en el real tocaban victoria por la muerte del último cacique.

5 El asesinato de su jefe produjo el desorden en las filas del ejército. Unos se dispersaron por las serranías y otros se rindieron a los españoles.

NOTAS ACLARATORIAS

1. **Congolón; Cuyocuntena.** Cerros en el oeste de Honduras.
2. **Alonso de Cáceres; Juan de Chávez.** Militares españoles del siglo XVI que recorrieron el territorio de la provincia de Honduras, consiguiendo dominar a varios pueblos que se habían sublevado.
3. **Gracias a Dios.** Población en el centro de Honduras.

*¡Iba solo!

Iba solo:
iba solo, con mi lánguida tristeza;
iba solo, meditando mis dolores,
y al pasar junto a tu reja
vi unos ojos, 5
vi unos ojos relucientes como soles,
vi unos labios rojos, rojos,
contraídos por sonrisas hechiceras
y vi todo
el espléndido conjunto de belleza 10
de tu cuerpo y de tu rostro.

Seguí solo:
seguí solo, con la cruz de mi tristeza;
seguí solo, contemplando mis dolores,
y en el fondo macilento de mis penas, 15
van tus *soles;
van tus labios con sonrisas hechiceras
y va todo
el espléndido conjunto de belleza
de tu cuerpo y de tu rostro. 20

—*Manuel Zúñiga Idiáquez* (Honduras: contemporáneo)

El tesoro restituído

(Episodio nicaragüense)

En 1853 ardía la guerra civil en Nicaragua. Los demócratas, sublevados contra el gobierno del presidente provisional, Frutos Chamorro, llamaron en su ayuda al aventurero William Walker,[1] filibustero norteamericano. En la noche del 13 de octubre de 1855 los filibusteros se apoderaron por sorpresa de Granada[2] y en seguida Walker inició un régimen de terror *para obligar a los conservadores nicaragüenses que aceptasen el gobierno democrático. No sólo era el asesinato el arma de los filibusteros sino también el pillaje. *Por dondequiera entraban a robar las alhajas, la ropa, todo lo que encontraban en las casas.

La gente, viéndose en la necesidad de huir y no pudiendo llevar consigo sus joyas y su dinero, los enterraba en el jardín, en los corredores, bajo un ladrillo, en las paredes. Muchos consiguieron salvar su hacienda; algunos perdieron el recuerdo del sitio del entierro, que no raras veces sirvió para enriquecer a otros más afortunados; y los más, a pesar de esta diligencia, sólo encontraron un hoyo vacío cuando iban en busca de su tesoro.

* * *

Entre los nicaragüenses que se vieron en la necesidad de esconder su hacienda había una dama de la primera sociedad granadina, doña Julia Arellano de Pasos. Conforme a la costumbre, enterró secretamente sus joyas y su dinero. Antes que la guerra *terminara, doña Julia

Publishers' Photo Service, N. Y.

CONVENTO DE SAN FRANCISCO—GRANADA

Este edificio sirvió de cuartel al filibustero William Walker desde 1854 hasta 1856

se encontró en trance de muerte. Su dormitorio era un gran cuarto dividido en dos por un tenue tabique de madera, de modo que con facilidad se oía lo que se hablaba al otro lado.

*Viéndose morir doña Julia, llamó a su fiel criado, le hizo jurar que guardaría el secreto que iba a confiarle, y le refirió, con pormenores y señales, el lugar en que estaba enterrado su tesoro. Quiso la suerte que al otro lado del tabique *estuviese un oficial del ejército nicaragüense *que, sin procurarlo, oyese todo el secreto.

* * *

Tocó a su fin aquella guerra despiadada, y cuando el fiel criado en compañía de los hijos de doña Julia fué en busca del tesoro, se encontró con la sorpresa que no estaba en el sitio indicado. ¿Qué había sucedido?

En el curso de la guerra los nicaragüenses habían llegado a uno de esos momentos en que faltaba dinero. En cierta reunión los generales Tomás Martínez y Fernando Chamorro discutían qué medios emplear para recoger fondos. Aconteció estar presente en la reunión el oficial que había oído el secreto, y *como oyera lo que trataban los generales les dijo:

—Si necesitan dinero, yo sé donde lo pueden conseguir.

Y contó lo que sabía.

Martínez y Chamorro deliberaron si podían en buena ley tomar el dinero, y resolvieron aprovecharse de él porque se trataba de la salvación del país, pero con el propósito de restituirlo a su tiempo.

Un oficial fué mandado *para que recogiese el tesoro, y halló que sumaba 35,000 pesos, plata. El hallazgo fué una providencia para la salvación nacional. Se empleó el dinero en las necesidades más perentorias de la guerra.

Cuando más tarde el general Martínez fué presidente de la república, su gobierno reconoció aquella deuda, y dentro de un plazo de diez años se amortizó aquel empréstito ocasional porque era una obligación sagrada.

* * *

5 ¡Página de historia es ésta en que resplandecen la honradez y el verdadero patriotismo de aquel pequeño país de Centro-América!

NOTAS ACLARATORIAS

1. **William Walker** (1824–1860). Aventurero y filibustero norteamericano, que tomó parte en las insurrecciones de Nicaragua a mediados del siglo XIX. Se apoderó de Granada en 1855, y después de rebelarse contra el general Corral, presidente del país, le hizo fusilar y se hizo nombrar presidente. Los excesos que cometió decidieron a las demás repúblicas centroamericanas a acudir en ayuda de los nicaragüenses para expulsarle. José Joaquín de Mora, general en jefe del ejército centroamericano, derrotó a Walker en Granada, obligándole a regresar a los Estados Unidos. En 1860 volvió a desembarcar Walker en Centro-América, pero derrotado en Honduras, fué preso, juzgado y fusilado, el mismo año.
2. **Granada.** Ciudad en el oeste de Nicaragua.

*Sin saber por qué . . .

Exangüe, la tarde está fría
—la luz es la sangre del día—.
Morirse la tarde se ve . . .

Bajo un gran silencio la tarde moría . . .
Y yo estaba triste sin saber por qué . . . 5

¿Qué pena torna al alma mía?
¿Qué angustias ella presentía?
¿Lo que no ha sido, *o lo que no fué?
¡Cómo oprime el alma *la melancolía
cuando uno está triste sin saber por qué . . . ! 10

Flota en la tarde en agonía
una *llorosa melodía.
*Se destiñe el rojo de la celosía,
y hasta la palmera sollozar se ve.

En aquella tarde *yo nada tenía, 15
pero estaba triste sin saber por qué . . .

—*Santiago Argüello* (Nicaragua: 1872-)

Nuestra Señora de los Ángeles

(Tradición costarricense)

Antiguamente se acostumbraba en casi toda la América Española segregar a los mulatos de los blancos, obligándolos a vivir separados. En Cartago[1] aquéllos ocupaban un barrio segregado de la ciudad, conocido con el nombre 5 de «Puebla de los Pardos».[2] Sirvía de lindero entre ambas poblaciones una Cruz de Caravaca,[3] y de ésta a la ciudad no podían pasar los pardos, o mulatos, sin permiso de las autoridades.

* * *

En la época colonial existía en la Puebla de los Pardos 10 un breñal a donde solían ir los pobres de Cartago a recoger leña. Refiere la tradición que una mañana una pobre y sencilla mujer fué, como de costumbre, a recoger leña al breñal. Sobre una piedra encontró una imagen toscamente labrada en piedra de color de plomo, representando 15 a la Virgen con el Niño en los brazos. Loca de contento, la recogió y la llevó a su choza, guardándola dentro de un cofre.

La tarde volvió la mujer al breñal a recoger leña, y sobre la misma piedra encontró la imagen de la mañana. 20 Creyendo que era otra, la llevó muy contenta a su choza, pensando que ya tenía dos imágenes. Al abrir el cofre, ¿cuál no fué su asombro al ver que ya no estaba la que había traído la mañana? Esta vez aseguró bien la imagen bajo llave, pensando que *alguien se la había llevado 25 al breñal.

Fachada de la Basílica de la Virgen de los Ángeles—Cartago

Al día siguiente, volviendo al breñal y sobre la misma piedra encontró por tercera vez la imagen de la «Negrita», como vulgarmente llaman a esa Virgen los costarricenses. Turbada y temerosa, corrió con la imagen a su choza, abrió el cofre y se dió cuenta de que la «otra» ya no estaba. La buena mujer sc alarmó y corrió a la casa del señor cura, a quien contó lo que pasaba, entregándole la imagen.

El cura, sin *darle mucha importancia al asunto, tomó la imagen y la guardó dentro de una cajita, pero cuando al día siguiente quiso examinarla con detención, halló que había desaparecido. Acompañado de otras personas fué el cura al breñal, y en la piedra la encontró. En solemne procesión condujo la imagen a la iglesia parroquial, depositándola en el Sagrario.

Pasó un día. Celebraba el cura la santa misa. Cuando fué a dar la comunión notó que la imagen no estaba. Después de la misa, acompañado de otros sacerdotes, corrió a la ya histórica piedra. Allí estaba la Señora que parecía decir que allí mismo quería tener su casa. ¡La «Negrita» quería ser la Reina de los Ángeles, la Reina también de los Pardos y la Reina de los Ticos![4]

En seguida le levantaron una ermita, mientras podían construirle un templo digno de la Reina de los cielos. En poco tiempo la soberana Señora comenzó a derramar sus favores por todas partes. Pronto la conocieron fuera de Cartago. Su fama traspasó las fronteras. Se la invocaba desde Nicaragua hasta Panamá.

El Congreso Constituyente de 1824 expidió un decreto proclamando a la Virgen de los Ángeles «Patrona de la República de Costa Rica».

* * *

*Ignórase el año en que la imagen fué hallada, pero puede asegurarse que no fué ni antes de 1635 ni después de 1638. El día de la «aparición» fué el 2 de agosto, fiesta de los ángeles, como lo indica el título que *se le
5 dió a la imagen: «Nuestra Señora de los Ángeles», cuya fiesta se celebra desde tiempo inmemorial en tal día.

La Puebla de los Pardos, que en el año de 1635 estaba habitada por muy pocas familias, creció en poco tiempo y cambió su nombre por el de «La Puebla de Nuestra
10 Señora de los Ángeles», en honor de la «Negrita».

NOTAS ACLARATORIAS

1. **Cartago.** Ciudad en la parte central de Costa Rica. Fué fundada en 1560 por Juan Vásquez de Coronado, conquistador de aquel país, y desde entonces hasta 1823 fué la capital. La capital actual es la ciudad de San José.

2. **pardo.** Americanismo que significa « mulato». Durante la época de la colonización en América a todas las personas que no eran de raza pura se les llamaba « pardos».

3. **Cruz de Caravaca.** Cruz patriarcal; cruz de cuatro brazos. Caravaca es una ciudad de unos 16.000 habitantes, en la provincia de Murcia, en el sudeste de España. Allí se halla la Iglesia de la Santísima Cruz, donde se conserva la reliquia de la Cruz de Caravaca. Esta es una cruz patriarcal, es decir, de dos travesaños horizontales.

4. **Ticos.** Costarricenses. En Centro-América los habitantes de Costa Rica son « ticos», como los de Guatemala son « chapines», los de El Salvador y Honduras « nicas » y los de Nicaragua « pinolíos». Compárese la voz « yanqui » para denotar « norteamericano».

*Amanecer

El alba azul y las estrellas blancas,
la sombra en las barrancas,
como loba acosada busca abrigo
del flechero enemigo.
¡Esgrime la *pastora* en los cercados 5
sus puñales de sangre empurpurados,
y en el fresco rocío de la mañana
revive el corazón de la pradera! . . .
La araña tempranera
geometriza su tela casi vana. 10

—*Carlos Luis Sáenz* (Costa Rica: 1902-)

Chagira y Neye

(Leyenda panameña)

Una decena de casas pajizas formaban el pueblecito de Molineca,[1] situado sobre la margen derecha del río Tuira,[2] a corta distancia del bellísimo pueblo de Pinogana.

Un grupo de familias indígenas se había trasladado 5 a la pintoresca ribera del Tuira y vivía allí en paz y quietud, durante la época de la conquista. Los hombres se dedicaban a la caza o a la pesca o a sus cultivos, y las mujeres a las tareas caseras, simplísimas, de las indias, mientras los muchachos iban al río a traer agua o al 10 monte a cortar leña.

En ese pueblo había una bella indiecita que frisaba en los quince años, de fisonomía inteligente y armoniosa, de cuerpo grácil y atrayente, y de suaves maneras. Chagira *la llamaban a esa encantadora flor del pueblo 15 ribereño.

A oídos de estas sencillas gentes llegaron los rumores de la presencia por esos lugares de hombres de la piel blanca y ojos cristalinos. Eran grandes y fornidos esos visitantes, y entre los objetos que llevaban consigo, por-20 taban armas mortíferas que arrojaban fuego.

No poca era la inquietud de aquellos indios pacíficos y temerosos. . . . Mas todo era alucinación. La paz, no conturbada, era dueña absoluta de aquellas regiones ricas en dones naturales.

25 Todas las tardes *se veía que bajaba de la dirección de Pinogana un mozo apuesto, de fuerte musculatura y rostro risueño, manejando con destreza una piragua que

Interior de una Choza India—Pinogana

Indios en una Piragua Navegando por el Río Tuira

se deslizaba sobre las aguas del río. Llegaba Neye—que así se llamaba el joven—a la orilla, arrastraba la piragua unos cuantos pasos tierra adentro, y subía al poblado donde Chagira, vestida con la simplicidad de las gentes primitivas, le recibía candorosa y risueña. Salían luego juntos a vagar bajo los mangos verdes, o se internaban en los bosques espesos.

Sus coloquios duraban horas, y cuando volvían al *bohío*[3] paterno, ya caía el crepúsculo. Muchas veces, absortos sobre un peñón, con un ramillete de flores ella, y él muy cerca, acariciándole la suelta cabellera, eran sorprendidos por las primeras estrellas de la noche, y regresaban presurosos, ella al hogar paterno y él a remontar el río.

Así se deslizaban los días, y la feliz pareja, en su idilio tranquilo, tierno y ensoñador, olvidó bien pronto, como los habían olvidado los demás moradores del lugar, los rumores que tiempo atrás les robaron la quietud y el sosiego.

Una noche obscura los moradores de Molineca se movían en todas direcciones aterrorizados por los estampidos de los arcabuces que batían a los pinoganeros. Era que el invasor había venido a turbar la paz de aquellas regiones, y atacaba a los habitantes pacíficos e indefensos. Los atacantes se apoderaron de los objetos de oro que hallaron a su paso y abandonaron el lugar.

Al día siguiente, cuando los habitantes de Molineca, temerosos aún, se acercaron a la cañada de defensa de Pinogana, encontraron entre las víctimas del ataque del invasor el cuerpo yerto de Neye.

* * *

Cuenta la tradición que *a Chagira, la bella indiecita del pueblo de Molineca, *se la ve remontar el río en las

noches espléndidas de plenilunio, remando silenciosa una piragua, con brazo débil y cansadizo, hacia el pueblo de Pinogana, donde duerme el último sueño Neye, su amante risueño, cuyo cuerpo descansa tras la cañada donde segó
5 su vida la fiereza de los hombres de la piel blanca y de ojos cristalinos . . .

NOTAS ACLARATORIAS

1. **Molineca; Pinogana.** Pueblos en el extremo oeste de Panamá, no muy lejos de la frontera colombiana.

2. **Tuira.** Río en el extremo oeste de Panamá.

3. ***bohío.*** Americanismo que significa «cabaña de ramas o cañas».

Jardinera . . .

En un jardín florecido
te vi alegre, niña hermosa,
jardinera,
junto a una rosa . . .

Y me quedé sorprendido, 5
porque en el momento *aquél,
no pude saber, herido
en el corazón,
cuál era en verdad la rosa:
si tú, bella jardinera, 10
con tu sonrosada faz,
o la rosa . . .

—*José Oller* (Panamá: 1882-)

II

LOS PAÍSES ANTILLANOS

Nuestra Señora de la Caridad del Cobre

(Tradición cubana)

Entre los jóvenes que acompañaron a Colón en su segundo viaje se encontraba Alonso de Ojeda, hijo de una familia noble y de valor indómito, casi fabuloso. En la guerra que había hecho a los moros, en las batallas campales y en toda clase de aventuras jamás había re- 5 cibido el menor rasguño. A manera de talismán religioso, Ojeda llevaba siempre consigo una imagen de la Virgen que le había regalado su protector, el obispo Juan Rodríguez de Fonseca, amigo del rey Fernando V.[1] Jamás abandonaba esta imagen, ni en la población ni en 10 el campo. Juraba por la Virgen, y seguro de su favor, se hallaba siempre dispuesto a toda clase de empresas y aventuras.

Ojeda hizo tres viajes a América. En el tercero (1509), fundó la colonia de San Sebastián, en el noroeste de 15 Colombia. A causa de los repetidos ataques de los filibusteros y las tribus indígenas, y asediada por el hambre y la sed, la colonia fué a mal en poco tiempo. Estaba deshecho, pues, el hechizo religioso, o la Virgen retiraba su protección. Esto fué lo que Ojeda creyó; pero, sin 20 embargo, la imagen siguió siendo el ferviente objeto de sus devociones.

De vuelta de ese viaje, el más desastroso de todos, Ojeda hizo un solemne voto a la Virgen, que cumplió. En un momento de desesperación, cuando, en Cuba, él 25 y sus compañeros estaban próximos a perecer por el hambre y el cansancio que sufrían en las marismas de esa isla, ofreció a la Virgen que si le sacaba con vida de tantos peligros, le erigiría una capilla en la población india *a donde llegasen, dejando allí la imagen *para que la adorasen los salvajes.

5 Y así fué. Descubrieron un sendero, lo siguieron y llegaron casi muertos de debilidad a un pueblecito indio cuyo cacique se llamaba Cueybas. Los indios, así que supieron la triste historia de Ojeda y su gente, les dieron de comer y beber.

10 Ojeda cumplió su voto a pesar del profundo sentimiento que le causaba su separación de una reliquia a la cual atribuía piadosamente haber salido sano y salvo de tantos y tan inmensos peligros. Construyó una capilla, colocó la imagen en el altar y la dió al cacique, que 15 concibió hacia la imagen de la Virgen una profunda veneración, que adoptaron sus súbditos.

Poco después de haber salido Ojeda, el venerable Las Casas[2] llegó al pueblo de Cueybas, y habiendo oído hablar mucho de la famosa reliquia, tenía gran deseo de 20 poseerla. Ofreció al cacique en cambio otra imagen de la Virgen que llevaba consigo. Éste le dió una respuesta evasiva, quedándose muy pensativo todo el resto del día, ni se presentó al siguiente. Las Casas fué a la capilla y se encontró con el altar desierto. La preciosa reliquia 25 había desaparecido. Preguntando la causa, le dijeron que el cacique por la noche la había tomado y escondido en el bosque. En vano procuró hacerle venir, enviando mensajeros, con la seguridad de que no quería privarle de su querida reliquia. No hubo medio de atraerle ni 30 salió del bosque hasta que se marcharon los españoles.

Después de este incidente el cacique tuvo miedo de que la imagen *cayera en manos extrañas y un día la

Santuario Nacional de Nuestra Señora de la Caridad del Cobre—Cuba

echó en uno de los ríos que desembocan en la Bahía de Nipe.[3]

* * *

Nada se supo de la imagen hasta 1628. Un día dos indios que habían bajado a la Bahía de Nipe se extrañaron al ver venir hacia ellos, sobre la cresta de las olas, un objeto extraño. Era la imagen de la Virgen María. En la mano derecha llevaba una cruz, en la cual estaba grabado en letras de oro este letrero: *Soy la Virgen de la Caridad.*

Los indios la cogieron y la pusieron en su barca, y cuando llegaron al pueblo la llevaron a don Francisco Sánchez de Moya, intendente de las minas de cobre. Le construyeron un pequeño templo y en el altar ardía perennemente una lámpara de cobre.

Entonces sucedió algo extraño. Todas las noches, cuando el sacristán iba a cuidar de la lámpara, hallaba que la imagen estaba ausente, pero siempre volvía a su puesto al amanecer.

A los ruegos de los devotos que preguntaban por qué desaparecía la Virgen de su altar, se veían, como contestación, luces extrañas brillando en la cima del Cerro del Cobre.[4]

Tanta era la reverencia que inspiraba la Virgen a aquellas gentes sencillas, que su culto movió los ánimos más devotos a levantarle un hermoso santuario en el mismo lugar, en la cima del cerro, donde veían brillar las luces.

* * *

Los prodigios que se obraron en presencia de la milagrosa imagen fueron tan extraordinarios que su culto se extendió en toda la isla.

El 8 de septiembre, fiesta de Nuestra Señora de la Caridad del Cobre, miles de devotos hacen peregrinación a su santuario para rendirle culto.

NOTAS ACLARATORIAS

1. **Fernando V** (1452–1516). Esposo de Isabel, y rey de Aragón y Castilla, durante la época del descubrimiento de América.
2. **Bartolomé de las Casas** (1475–1566). Célebre misionero español, que acompañó a Colón durante su tercer viaje, y generoso defensor de los indios contra la brutalidad de los conquistadores.
3. **Bahía de Nipe.** Se halla al nordeste de Cuba.
4. **El Cobre.** Villa de Cuba, en el sudeste.

La rosa blanca

Cultivo una *rosa blanca,
en julio como en enero,
para el amigo sincero
que me da su mano franca.

Y para el cruel, que me arranca 5
el corazón con que vivo,
*cardo ni oruga cultivo:
cultivo la rosa blanca.

—*José Martí* (Cuba: 1853–1895)

Generosidad de Enriquillo

(Episodio histórico dominicano)

Durante los primeros años de la conquista, el gobierno de los españoles en la isla dominicana se distinguió por su crueldad con los indios, a quienes obligaba a trabajar en las minas. Allí por los años de 1520 se levantaron los indígenas, capitaneados por el valeroso Enriquillo, célebre cacique dominicano que por diez años luchó animosamente contra la dominación española.

* * *

A la muerte de su bienhechor, don Francisco Valenzuela, los quisqueyanos[1] se vieron tan maltratados por los sucesores de aquel noble español que decidieron emigrar sigilosamente de la Maguana.[2] Mirando las majestuosas montañas del Bahoruco,[3] Enriquillo habló a los indios en estos términos:

—Allí está la libertad, amigos míos; allí la existencia del hombre, tan distinta de la del siervo; dones que hemos de agradecer siempre al Señor Dios omnipotente, como buenos cristianos.

Con lágrimas de alegría comenzaron los indios casi al anochecer a subir por un desfiladero escabroso, que se abría paso por entre riscos perpendiculares y abismos obscuros.

Al día siguiente la caravana se halló en el interior de las montañas. Antes del mediodía llegó a un lindo vallecito, circundado de palmeras y grandes árboles. Allí decidió Enriquillo hacer su primer campamento.

Paisaje de la República Dominicana

Era de presumirse que las autoridades de la Maguana no tardarían en salir en busca de los fugitivos. Así lo pensó Enriquillo, y se preparó al efecto.

No perdió tiempo el cacique a establecer una línea de observación al pie de las montañas, con las centinelas convenientemente distribuídas.

*Habrían pasado cinco días cuando, cerca del mediodía, llegaron los correos al campamento avisando que la tropa española, al mando de Andrés Valenzuela y Pedro de Mojica, entraba resueltamente en el desfiladero principal.

De una ojeada vió Enriquillo el partido que podía sacar de aquella estrechura. Rápidamente distribuyó su escasa fuerza a derecha e izquierda, dominando el paso, y él se colocó a la salida del recodo, con cinco hombres armados de lanza y espada.

Un instante después se presentaron Valenzuela y Mojica, a la cabeza de su tropa, toda a pie, pues *hubiera sido imposible maniobrar a caballo en aquella altura escabrosa.

—¿Dónde está ese perro? ¿Dónde está Enriquillo?— vociferaban sin cesar.

En aquel momento apareció ante su vista Enriquillo, imponente, altivo, terrible.

—¡Aquí está el que buscáis!—exclamó el cacique con voz de trueno. Aquí está el señor de estas montañas, que vivirá y morirá libre de odiosos tiranos.

Y volviendo a los suyos, con vibrante acento les gritó: «¡A ellos, amigos míos!»

La lucha fué corta pero terrible. Los españoles comenzaron a correr desfiladero abajo. Enriquillo se arrojó como un león en demanda del aborrecido Mojica y logró sólo herirle en el rostro con la punta de su espada, no habiendo podido alcanzarle de lleno por la dificultad del sitio y la celeridad con que huía el tirano.

En su fuga Valenzuela se encontró con el temible Tamayo, uno de los indios más valerosos con que contaba el cacique. Tamayo le descargó un recio golpe con el cuento de su lanza rota, que le abrió la cabeza, haciéndole rodar por tierra. Iba a rematarle allí mismo, pero el generoso Enriquillo sintió despertarse sus sentimientos benignos al ver en tal extremo al hijo del que fué su bienhechor, y adelantándose vivamente, contuvo el brazo del terrible Tamayo.

—*No le mates—le dijo—. Acuérdate de don Francisco Valenzuela.

—Eres un mandria, Enriquillo—contestó el indio enfurecido—. A cada cual lo que merece; don Francisco en el cielo y este pícaro *que se vaya al infierno.

—No, Tamayo. Hoy pago mi deuda a aquella buena alma.

Y alzando Enriquillo del suelo al estropeado y confuso Valenzuela, examinó su herida, vió que no era de cuidado, y le dijo estas sencillas palabras: «*Agradeced, Valenzuela, que no os mato. Idos, y *no volváis más acá.»

Tamayo golpeó con el pie en tierra, enfurecido. Articulando una imprecación le dijo al abatido tirano: «Enriquillo vale mil veces más que *tú, pues te perdona, y yo que no valgo tanto, te perdono también por él; pero óyeme bien, Valenzuela. No sigas siendo malo; no aflijas a los infelices; no deshonres a las pobres mujeres. Procura ser buen cristiano, *como lo era tu padre, o te juro acabar contigo dondequiera que te *halle; y ¡vete, vete! ¡No vuelvas nunca por aquí!»

Valenzuela, confundido, aterrado, más muerto que vivo, oyó la increpación de Tamayo como un aviso fúnebre del cielo, y prosiguió su camino, cabizbajo y con paso vacilante.

NOTAS ACLARATORIAS

1. **quisqueyanos.** Nombre de una tribu dominicana. El nombre indígena de la República Dominicana es « Quisqueya».
2. **Maguana.** Aldea en el oeste del país.
3. **Bahoruco.** Montaña en el extremo suroeste del país.

En el atrio

Deslumbradora de hermosura y gracia,
en el atrio del templo apareció,
y todos a su paso se inclinaron,
menos yo.

5 Como enjambre de alegres mariposas
volaron los elogios en redor:
un homenaje le rindieron todos,
menos yo.

Y tranquilo después, indiferente,
10 a su morada cada cual volvió,
e indiferentes viven y tranquilos
todos ¡ay! menos yo.

—*Fabio Fiallo* (República Dominicana: 1865-)

La garita del diablo

(Tradición portorriqueña)

En el costado norte del castillo de San Cristóbal, a corta distancia de San Juan,[1] hay un peñasco que penetra en el mar como a distancia de cincuenta varas. Al extremo de este cabo se eleva una garita de aspecto ruinoso y sombrío. Hoy se encuentra completamente abandonada, y la tradición popular cuenta cosas muy peregrinas acerca de ella, designándola con el siniestro nombre de *la garita del diablo.*

A causa de los repetidos ataques de filibusteros y piratas contra éste y otros varios puertos de la isla de Puerto Rico, a mediados del siglo XVIII se construyó en aquel peñasco una especie de garita, desde la cual *pudiera vigilarse por la noche toda aquella parte del mar.

* * *

Un centinela de la guardia del castillo tenía a su carga esta vigilancia, y cada dos horas bajaban a relevarle por una galería subterránea que desembocaba al pie del muro.

Una noche, al bajar el cabo de guardia con el soldado que había de relevar al centinela, notaron que éste no se encontraba en su puesto. La garita estaba desierta, así como el pasadizo estrecho que conducía hacia ella. Buscaron por todas partes; el centinela había desaparecido.

*Transcurrido algún tiempo, y *cuando se iba olvidando aquella súbita y lastimosa desaparición, otro centinela desapareció como el anterior. Ni el más leve indicio de lucha ni de violencia se advertía en la garita, pero esta vez se había encontrado el fusil.

Según la versión popular el mismo diablo en persona debió de haber tomado parte en tan extremoso escamoteo. Y vino luego a confirmar esta creencia la misteriosa desaparición de dos o tres centinelas más.

Desde entonces la guardia de San Cristóbal dejó de poner centinela en aquel sitio. Se cerró a cal y canto la puerta de la galería subterránea y *la garita del diablo* quedó vacía y abandonada.

* * *

Un día un viejecito que parecía conocer algo más de lo que explica la tradición acerca de *la garita del diablo,* se expresó así: «Servía yo, hace más de cuarenta años, en el Batallón Fijo,[2] acuartelado en el Castillo de San Cristóbal, y había hecho varias veces el servicio de centinela nocturno en la que nosotros llamábamos *garita del mar.*

«Una noche lluviosa *me tocó en turno la vigilancia de la garita desde las once a la una. No había estado allí más de un cuarto de hora cuando me vino la tentación de fumar. El centinela del ejército español no debe sentarse ni fumar, y esto último sobre todo era un gran martirio para mí.

«Yo tenía dos *boliches*[3] pero nada con que encenderlos. De pronto se fijó mi vista en una luz que brillaba en uno de los *bohíos*[4] que se hallaba a corta distancia de la garita. Me descolgué por la orilla del muro y en dos o tres minutos llegué al lugar anhelado. Era un ventorrillo de pobre apariencia.

«Pedí una copa de aguardiente y después encendí mi *boliche.* Cuando estaba para regresar a la garita, me asomé a una de las puertas que daban a la sala de baile y fijé mi mirada en una trigueñita de ojos de fuego que era *toa sal*,[5] como se dice en Andalucía.[6] Me puse a dispararle algunos requiebros. . . .

«Con esto *el tiempo se me había pasado sin sentir, y yo había incurrido en la más tremenda de las responsa- 5 bilidades. La Ordenanza Militar dispone *que sea pasado por las armas todo centinela que *abandone su puesto.

«Tomé, pues, la firme resolución de salvar mi vida y me fugué, favorecido por las tinieblas de la noche. Después vine a este barrio, trabajé, adquirí algunas 10 tierras, hice un *bohío*, me casé, y héme aquí convertido en un *jíbaro*.[7]

«Poco después de mi llegada a este sitio, ya circulaba la noticia de que el diablo *había hecho otra de las suyas en la ciudad, llevándose a un centinela en cuerpo y alma, 15 sin dejar de él más que el fusil. Por eso—añadió—me sonrío a veces cuando oigo que atribuyen al diablo mi desaparición de la garita, cuando la verdad es que él no tomó parte ninguna en el asunto, *a menos que no fuera obra suya la tentación del *boliche* y el hechizo de la 20 encantadora trigueña de la sala de baile.»

NOTAS ACLARATORIAS

1. **San Juan.** Ciudad en la costa septentrional y capital de Puerto Rico.
2. **Batallón Fijo.** Cuerpo de artillería, compuesto de habitantes permanentes de Puerto Rico.
3. ***boliche.*** Especie de cigarro portorriqueño.
4. ***bohío.*** Cabaña de ramas o cañas.
5. **era *toa sal* = era toda sal.** Es decir, tenía agudeza o donaire.
6. **Andalucía.** Comarca del sur de España y la región más romántica de aquel país. La mayor parte de los conquistadores eran andaluces.
7. ***jíbaro.*** Campesino.

Tu retrato

Del rubicundo sol al primer lampo
esta mañana vi
entre las flores del ameno campo
una en botón, y me acordé de ti.
5 Era un capullo de gentil belleza,
pues le dieron al par
el carmín de sus frutos la cereza,
y el nácar de su flor, el azahar.
Y como las mujeres y las flores
10 tan parecidas son;
y tu infancia además y tus colores
son los mismos que tiene aquel botón;
después de contemplar un breve rato
su semejanza a ti,
15 tomé, niña, el botón por tu retrato
y lo guardé en tu nombre para mí.

—*Manuel Padilla Dávila* (Puerto Rico: m. 1912?)

Arturo Michelena

Simón Bolívar

El condenado a muerte

(Anécdota venezolana)

Corría la Guerra de la Independencia.[1] Un sargento de las fuerzas revolucionarias había sido condenado a muerte, en Consejo de Guerra, por una grave infracción.

Habían llegado sus últimas horas. Estaba en capilla el sargento, contrito, rezando, pidiendo a Dios misericordia.

Llegó en estos momentos una joven hermosa. Forzó la guardia de Simón Bolívar[2] y desesperada, loca, penetró en las habitaciones del Libertador. Cayó a sus pies, y con ayes de dolor que herían los cielos, le pidió clemencia por su novio.

El general permanecía inexorable. Era la guerra. Se debía mantener la disciplina. La sentencia iba a ser cumplida. La pobre muchacha, medio muerta, fué arrastrada afuera. Su prometido iba a morir; su casamiento no iba a verificarse . . .

Esa misma noche, a las dos de la mañana, cuando todos estaban durmiendo, una sombra comparecía misteriosamente en la sala del Libertador. Era una mujer, vestida de negro, a quien seguía un oficial. El Libertador tuvo con ella una corta plática y la despidió.

La mañana siguiente, entre obscuro y claro, un piquete de soldados con la caja fúnebre, salía por la muralla de Puerto Cabello.[3]

El sargento, pálido, pero firme, se hincó al borde de la sepultura, cavada para él en ese mismo sitio, al pie del fuerte.

—¡Pelotón, fuego!

Los soldados dispararon a un tiempo sus carabinas y el sentenciado cayó, a plomo, dentro del agujero.

Al día siguiente, sus camaradas fueron a ver la tierra 5 fresca que cubría el cadáver de su compañero, y lloraron su muerte.

* * *

Muchos años después, en 1830, cuando se supo en Venezuela la muerte de Bolívar, un hombre de mediana edad se dirigía a la iglesia de una aldea de Los Llanos,[4] 10 seguido de su mujer y sus hijos, todos de luto. Oyeron, con devoción, la misa que él *había mandado decir para el alma del Libertador, y se volvieron a su casa. Las ventanas y puertas fueron cerradas, y ese día no comió la familia. La gente de la calle oyó dentro un llanto 15 lastimoso hasta la media noche.

Era ese hombre el sargento fusilado al pie del fuerte. El culpado *pasó por muerto para todos, y vivió feliz con otro nombre en un rincón obscuro, bendiciendo, junto con su esposa, la memoria de su general y salvador. Cuando 20 éste hubo fallecido, le lloró como a su padre idolatrado.

* * *

Así es como los grandes capitanes combinan las duras prescripciones de la política con las suaves exigencias de la humanidad. Bolívar fué un hombre extraordinario, en realidad. Por nacimiento el más noble y el más rico 25 de su tierra natal, murió en relativa pobreza después de haber gastado en la causa de su patria las abundantes riquezas que heredó de sus abuelos.

Poseyendo poderes intelectuales de primer orden, fué arrastrado por una imaginación ardiente como su clima 30 natal. Expresivo y elocuente, era uno de los primeros oradores y de los más elegantes escritores de la América del Sur. Creía en el cielo, en los dioses, en los inmortales, en el dios de Colombia, en el genio de América y en su destino.

El continente sudamericano ofrece un objeto físico con que comparar el carácter del Libertador—los estupendos Andes, plácidos a veces, a veces tempestuosos, pero siempre magníficos, siempre grandes. Tal era Bolívar. 5

NOTAS ACLARATORIAS

1. **La Guerra de la Independencia** sudamericana empezó en 1809 y duró hasta 1824, cuando el general venezolano, Antonio José de Sucre (1793–1830), lugarteniente de Bolívar, consiguió el 9 de Diciembre de 1824 la victoria de Ayacucho (Perú), la cual selló para siempre la independencia sudamericana.

2. **Simón Bolívar.** « El Libertador de América », nació en Caracas, Venezuela, en 1783 y murió en Santa Marta, Colombia, en 1830. Después de recibir una brillante educación en España, viajó por Europa y los Estados Unidos. Volvió a su país en 1810 para tomar parte en la rebelión de la colonia contra la dominación española y para 1824 los americanos, bajo su mando, habían derrotado a los españoles en Venezuela, Colombia, Ecuador, Perú y Chile.

3. **Puerto Cabello.** Ciudad a orillas del Golfo Triste, en el norte de Venezuela.

4. **Los Llanos.** Región entre Venezuela y Colombia.

El ciprés

Si por mi tumba
pasas un día
y amante evocas
el alma mía,
5 verás un ave
sobre un ciprés:
habla con ella,
que mi alma es.

Si tú me nombras,
10 si tú me llamas,
si allí repites
que así me amas,
da oído al viento
dentro del ciprés:
15 y con él habla,
que mi alma es.

Pero si esclava
ya de otro dueño
turbas e insultas
20 mi último sueño,
¡guárdate, ingrata,
de ir al ciprés,
huye su sombra,
que mi alma es!

Huye del ave
y huye del viento,
de toda forma,
de todo acento . . .
¡Ay! . . . ¡pero es vano! . . . 5
*doquiera estés
verás la sombra
de ese ciprés.

—*José Antonio Calcaño* (Venezuela: 1827–1897)

III

LOS PAÍSES ANDINOS

Una heroína colombiana

(Episodio histórico)

En presencia de la invasión francesa[1] de España y animados por las nuevas ideas y el ejemplo de los Estados Unidos de Norte América, que habían proclamado su separación de Inglaterra, los pensadores de la América del Sur soñaban con sacudir el yugo de la dominación española e implantar en su patria un régimen de libertad y progreso. Por consiguiente estalló la revolución en Sud América en 1809, y en todas partes hubo alzamientos contra la metrópoli.

Para sofocar la rebelión en Nueva Granada,[2] Fernando VII, rey de España, envió a América a uno de sus generales más hábiles, Pablo Morillo, que se había distinguido como guerrillero en la lucha contra Napoleón. El 9 de abril de 1815 llegó este general a Nueva Granada, al frente de diez mil soldados que habían combatido en Bailén[3] y Arapiles.[4]

En dos años de lucha había vencido a los revolucionarios en casi todas las contiendas, pero no había conseguido dominarlos, a pesar de haber fusilado a infinidad de personas.

En 1817 se vió obligado a acudir en ayuda de las fuerzas realistas en Caracas,[5] y dejó el mando de Bogotá[6] al feroz general Sámano. Éste inició un régimen de crueldad. *Hizo erigir un patíbulo en la plaza, en frente de su palacio, y cuatro bancos en donde ajusticiaba a sus víctimas. Las sentaba en estos bancos, *las mandaba fusilar por detrás, y después colgaba sus cuerpos del patíbulo.

* * *

Una de las primeras víctimas del general Sámano fué la joven y heroica mujer Policarpa Salavarrieta, llamada
5 por sus conciudadanos *la Pola*, en señal del cariño que le tenían por los servicios inolvidables que prestó a la causa republicana.

Contaba la Pola quince años en la época de su ejecución. Era una muchacha hermosísima en quien ardía
10 todo el fuego juvenil. Tenía el cutis moreno pálido, con esa palidez mate peculiar en los países cálidos, suave y brillante como el raso. La expresión de sus ojos patentizaba la sangre ardiente que corría por sus venas; sus largos y espesos cabellos eran negros como ala de cuervo.
15 Grande fué su atractivo; grande y nobilísima su alma. Abnegada y fiel a la causa de la independencia, quiso la suerte que la Pola, dispuesta a pagar con la vida sus atrevidos planes patrióticos, *fuese el alma guiadora de un joven realista, Alejo Savaráin.
20 Éste la amaba ciegamente. Llegó un día en que, loco de amor, le pidió la mano a la joven.

—Yo seré esclavo de vuestros ojos y vuestra voluntad; seréis la dueña de mi ser, porque *os amo, os adoro, y mi corazón ardiente no sabe querer a medias.
25 La joven no contestó nada, pero Savaráin, al leer en los ojos de ésta el amor y un mundo de ventura, cayó a sus pies, exclamando: «*¿Será verdad; seréis mía?»

La Pola fijó sus ojos en los ojos chispeantes del joven, y trémula de emoción, le contestó: «¡Jamás perteneceré a
30 un enemigo de nuestra libertad!»

—Desde hoy formaré en las filas de los republicanos—replicó Savaráin.

Estatua de La Pola—Guaduas, Colombia

—Sólo así puedo creer en vuestro amor.

* * *

El joven se unió a los independientes que en Los Llanos[7] acaudillaba fray Antonio Nariño.[8] Perseguidos por los realistas, cayó prisionero. Por desgracia, las cartas de la hermosísima revolucionaria, en las cuales se le participaba 5
la verdadera situación del enemigo, y que Savaráin guardaba en el pecho, pusieron de relieve la influencia de la vehemente heroína. En seguida *se encarceló a la Pola.

Nada *la asustaba a esta mujer. Interrogada por 10
Sámano, contestó con arrogante desprecio, provocando su ira y dictando su sentencia de muerte y la de Savaráin.

Ambos murieron con el valor y la estoica serenidad de los mártires, el 14 de noviembre de 1817.

* * *

La risueña Guaduas,[9] escondida entre las nevadas 15
cimas andinas, guarda los restos y el recuerdo de su heroísmo, amando y admirando su nombre a través de las generaciones. El pueblo colombiano inmortalizó a la Pola en la memoria nacional con el anagrama[10] de su nombre: *yace por salvar la Patria*, que llegó a ser popu- 20
larísimo.

NOTAS ACLARATORIAS

1. **la invasión francesa.** En 1808 el ejército francés, como aliado de España contra Portugal, entró en Madrid. Al mismo tiempo, con pretexto de componer las controversias entre Fernando VII, que había sido proclamado rey, y su padre, Carlos IV, que había abdicado por fuerza, Napoleón los atrajo a Bayona de Francia y allí los retuvo. Entonces arrancó a Fernando una abdicación merced a la cual pudo dar el trono de España a su hermano José. Esto avivó el sentimiento nacional de los españoles, quienes se

opusieron tenazmente por cinco años a los franceses. Al fin, en 1814, Napoleón devolvió la corona a Fernando y éste volvió a España.

2. **Nueva Granada.** Nombre de Colombia durante la dominación española.

3. **Bailén.** En el sur de la península, donde los españoles ganaron una victoria famosa, el 17 de Julio de 1808, sobre las tropas francesas.

4. **Arapiles.** Pueblo de la provincia de Salamanca, al noroeste de Madrid. Allí ganaron una batalla notable los españoles, en 1812.

5. **Caracas.** Capital de Venezuela, situada a unas ocho millas del Mar de las Antillas.

6. **Bogotá.** Capital de Colombia.

7. **Los Llanos.** Región entre Colombia y Venezuela.

8. **Antonio Nariño** (1765–1823). Patriota colombiano. Brilló como experto militar, hábil administrador, elocuente orador y distinguido periodista. Sus contemporáneos le apellidaron « el Precursor y Decano de la Independencia Colombiana».

9. **Guaduas.** Ciudad en la parte central de Colombia.

10. **anagrama.** Palabra o frase quc resulta de la transposición de las letras de otra palabra o frase, como de *sed, des.* Nótese que hay dos *íes* en el nombre de la heroína y que una de éstas se escribe *y* en **yace.**

Rondel

Amo tus labios, labios color de mora,
cuando me llaman, tímidos, tu bien amado,
cuando me dicen que ya viene la aurora
porque canta la alondra sobre el granado.

Amo tus ojos, dulces ojos traidores, 5
cuando en secreto lloran las horas idas,
cuando, en íntimos sueños, arrobadores,
parecen dos violetas adormecidas.

Pero más que tus ojos arrobadores,
más que tus labios tímidos, color de mora, 10
amo el último beso de tus amores,

cuando, al partir, me llamas tu bien amado,
cuando me dices que ya viene la aurora
porque canta la alondra sobre el granado.

—*Cornelio Hispano* (Colomba: 1882–)

La leyenda de Guayaquil [1]

(Tradición ecuatoriana)

Guayas era un famoso cacique que vivía feliz con una india hermosísima en una comarca del Ecuador. Un día su país fué invadido por los hombres blancos. Guayas se hallaba perplejo. ¿Debía o no alejarse de aquella tierra querida, donde él y sus antepasados habían sido señores absolutos?

Meditabundo y callado estaba una noche, cuando un rumor lejano llamó su atención. Con el oído finísimo del indio, adivinó que era un *chasqui*.[2] Poco después un hombre, cubierto de polvo y sin aliento, llegó a su presencia.

—¡Huye!—exclamó—, ¡huye! El enemigo nos alcanza; todo perece a su paso. Incendia y mata.

—¡Huir! ¿A dónde?

—Escaparemos en la piragua. Bajando el río nos internaremos en el bosque . . .

—Kill, *partamos—dijo Guayas—; preferiría verte muerta *que no en manos de esos hombres . . .

Los indios y la india se dirigieron a la ensenada donde estaba la piragua. Kill y el *chasqui* la abordaron y la pusieron a flote, pero Guayas no tuvo tiempo para embarcarse. Una férrea mano le sujetó y otros hombres acudieron al ver que el cacique luchaba a brazo partido.

Todo fué instantáneo. La piragua surcaba las ondas, mientras que Guayas, atado de pies y manos, miraba su *bohío*[3] convertido en una hoguera inmensa, escuchando los gritos desgarradores de Kill, que se alejaba.

—¡Tu oro!—gritó uno de los españoles.

—Lo tendrás si me reúnes con Kill.

—¿Quién es y dónde se halla?

—Es mi mujer y . . .

El indio se arrepintió sin concluir la frase, pero sus ojos al fijarse en el río, denunciaron su pensamiento.

Aquellos hombres lo adivinaron, y con rapidez saltaron a una canoa y la hicieron volar sobre las aguas. Los indios, al ver que los españoles los seguían, se echaron al río, ocultándose en la frondosa orilla.

Cuando los españoles alcanzaron la piragua, sólo encontraron a Kill, tendida en el fondo, rígida como un cadáver.

—Aquí tienes a Kill, cacique—dijeron al saltar a tierra—; por ella, tu tesoro; *lo que pese, será su rescate.

—Bien, acepto—contestó el indio con firmeza y dignidad—; desatadme.

Guayas, al verse libre, se acercó a Kill, y de sus ojos se escapó una chispa de pasión, de dolor, de resignación.

—Tu puñal—dijo a uno de los hombres blancos—. He de alzar con él una piedra. Mi padre, el Sol,[4] no presenciará esta vergüenza; aún falta mucho para el nuevo día.

Eran varios hombres armados contra uno. Le dieron el puñal. Súbitamente Guayas se transformó. Sus ojos lanzaron llamas, su mirada se iluminó con júbilo salvaje; al pensamiento obedeció su brazo. En el pecho de Kill se hundió el puñal; la herida fué de muerte.

—Ahora yo—gritó con voz de trueno—. Mis tesoros eran Kill y mi *bohío*. Éste lo habéis incendiado y con ella marcho a la región del Sol.

Y sacando el puñal bañado en sangre, *se lo clavó en el corazón.

Lo imprevisto de la escena, el trágico desenlace y el terrible choque de las emociones, hicieron huir a los españoles. Los cuerpos quedaron abandonados a pocos pasos de la choza convertida en cenizas.

5 La noche espantosa pasó. El amanecer iluminó las ruinas del *bohío* de Guayas, pero su cuerpo y el de Kill habían desaparecido.

* * *

Pasaron días, semanas, meses. Una noche, en un bosque enmarañado, muy próximo a la ciudad que los 10 españoles comenzaban a edificar, aparecieron sucesivamente varios indios, atravesaron un claro de la selva y se acercaron a un *bohío* en ruinas.

—Guayas—articuló una voz.

—Kill—contestaron a una los indígenas.

15 Un hombre de alta estatura salió al encuentro de los recién llegados.

—Es la noche de nuestra venganza—dijo—; un amigo me encontró con señales de vida y me salvó. Pero Kill duerme allí arriba, en una *tola.*[5] Los extranjeros 20 causaron su muerte y he jurado a mi padre el Sol vengarla.

—Manda y obedeceremos.

—Protegidos por la obscuridad, caeremos sobre ellos y ni uno solo podrá salvarse.

Dormían los colonos. Se despertaron al grito de 25 guerra: *¡Guayas-Kill!* lanzado por más de dos mil bocas. Las llamas, el humo, obscurecían el cielo; el derrumbe de los edificios y la rapidez del ataque no dieron lugar para la defensa ni para la huída. Sólo cinco españoles se salvaron y fueron portadores de la siniestra noticia.

* * *

30 Amanecía cuando Guayas subió lentamente por la

Monumento a Guayas y Kill—Guayaquil

falda escabrosa de la loma que hoy se llama *de Santa Ana. Allí estaba la *tola* de Kill; allí el indio evocó la imagen de la mujer amada. Allí se desbordó su dolor en un rugido salvaje, y lanzándose en el abismo, se hundió para siempre en la corriente del río, inmortalizando el 5 nombre de Guayas-Kill.

Recuerdo del cacique y de su venganza es el nombre de la ciudad de Guayaquil, que fué fundada en 1535.

NOTAS ACLARATORIAS

1. **Guayaquil.** Puerto principal del Ecuador.
2. *chasqui.* Correo.
3. *bohío.* Cabaña de ramas o cañas.
4. **Sol.** Los indios del imperio de los incas, que abarcaba las actuales repúblicas del Perú, Ecuador, Bolivia y parte de Colombia, Chile y Argentina, adoraban al Sol como dios supremo.
5. *tola.* Sepultura.

*Canción gris

*Lluvia.
Melancolía . . .

Las campanas enfermas de sopor y dulzura
ponen su vieja nota gris.
5 El alma tiene santidad de albura
como los pétalos de un lis.

El paisaje se duerme en su infinita
serenidad.
Y la lluvia cae lenta . . . ; cae la lluvia infinita
10 sobre las cosas, sin piedad.

La mañana
pone con dulce languidez de hermana
la vaguedad de su matiz.
Y al apagar su débil
15 tono de luz, su tono rosa,
fluye más larga, flébil,
más dolorosa
la Canción Gris.

Lluvia.
20 Melancolía . . .

—*José María Egas* (Ecuador: contemporáneo)

El Salto del Fraile

(Leyenda peruana)

Corría el año sesenta del siglo XVIII, cuando en la Ciudad de los Reyes[1] brillaba, por su noble y rancio abolengo, el marqués de Sarriá y Molina. Era hombre rico, fiel católico y, sobre todo, muy apegado a las ideas monárquicas y a las costumbres de sus antepasados, que no habían modificado los siglos ni la distancia a que se encontraba de la Corte.[2] 5

Tenía una sola hija, su tesoro más preciado, su orgullo y su ambición, pues cuando la miraba soñaba con un casamiento brillante. 10

La niña era una perla, una de esas limeñas[3] de ojos negros y rasgados, de pie menudo y mano breve, de talle esbelto, cutis sonrosado y fresco, de cabellera de ébano.

Luisa, pues así se llamaba, crecía en gracias, en travesuras y en independencia de carácter. 15

*Muerta su madre hacía algunos años, su afecto más acendrado *lo consagraba a una mulata, a su ama de leche, compartiendo a la vez los juegos y el cariño con Mauricio, hijo de aquélla.

Pasaron los años y aumentó el afecto de ambos niños, 20 hasta el punto de transformarse en amor.

El marqués tenía singular predilección por el hijo de la nodriza, y no sospechó que *pudiera ser algún día poderoso obstáculo para sus planes. Pero la casualidad le puso de manifiesto la pasión de su hija y el atrevimiento 25 de Mauricio, que había pensado fugarse con la hija de su protector.

Luisa protestó, lloró, se sublevó contra la voluntad paterna que le imponía un viaje a Europa como remedio para sus descabellados amoríos.

Creció de punto su angustia cuando supo que el elegido de su corazón vestía ya el hábito de Santo Domingo[4] y que en el convento de los dominicos encerraba sus locas esperanzas o moría lejos de Luisa, pero no curado de aquella pasión.

El novicio estaba siempre en el pensamiento de la joven, inspirándole los planes más extravagantes para salvarse del proyectado viaje.

De acuerdo con su nodriza, se entabló correspondencia diaria entre el convento y la casa del marqués. Las cartas, ardientes, amorosas, llenas de entusiasmo, alimentaban la llama de aquel amor.

De improviso, supo el triste novicio que a su amada la tenían bajo una vigilancia tan severa, que era imposible continuar la correspondencia. Supo también que partía un buque para el Viejo Mundo y que en él irían Luisa y el marqués.

Mauricio *logró que una postrera carta suya llegase a manos de la limeña inconsolable.

—No podré vivir sin ti—le decía—, cielo de mi vida. Te marchas y yo me quedo. El hombre sin corazón que pone un abismo entre los dos, que me niega tu cariño, no ha contado con la firmeza de éste ni con la muerte que nos unirá para siempre en la eternidad. Cuando el buque que te arranca de mis brazos pase por Chorrillos,[5] levanta tus hermosos ojos hasta el alto cerro que se mira en el mar. ¡Allí estaré yo! ¡Desde allí nos daremos el adiós supremo!

El corazón de Luisa se desgarró con la lectura de aquella carta. Serena, ocultando sus lágrimas que

Publishers' Photo Service, N. Y.

Claustro del Convento Dominicano—Lima

podían venderla, vió llegar con indecible inquietud la hora del embarque, y sólo al ponerse en movimiento *el *Covadonga*, sintió que las lágrimas subían del corazón a los ojos, inundando sus pálidas mejillas.

El marqués, seguro de su triunfo y de que la ausencia cicatrizaría la herida de su hija, fingió no ver aquel llanto y hasta dejó sola a la joven sobre cubierta, entregada a su dolor. 5

Al llegar el buque al Morro Solar,[6] se levantó Luisa, fijando sus ojos expresivos en la cima de la montaña. Allí, de pie, estaba Mauricio agitando su manto conventual, que se había quitado para saludar a la que amaba con todo su corazón. 10

Lo que pasó después fué instantáneo. Mauricio se arrojó al mar desde la inmensa altura, desgarrando sus carnes y sus hábitos en las puntas afiladas de las rocas. 15

Al mismo tiempo resonó un grito agudo en el *Covadonga*. Un cuerpo cayó al mar. Era el de Luisa, que buscaba a Mauricio en lo insondable del abismo.

Desde aquel día el Morro Solar tomó el nombre de El Salto del Fraile. 20

NOTAS ACLARATORIAS

1. **Ciudad de los Reyes.** Nombre primitivo de Lima, capital del Perú.
2. **Corte.** Es decir, Madrid.
3. **limeña.** Natural de Lima.
4. **Santo Domingo.** Fundador de la orden religiosa de los dominicos, en 1215.
5. **Chorrillos.** Villa muy cerca de Lima.
6. **Morro Solar.** Se halla a poca distancia de Chorrillos.

Triolets

Algo me dicen tus ojos;
mas lo que dicen no sé.
Entre misterio y sonrojos,
algo me dicen tus ojos.
5 ¿Vibran desdenes y enojos,
o hablan de amor y de fe?
Algo me dicen tus ojos;
mas lo que dicen no sé.

* * *

Los bienes y las glorias de la vida
10 o nunca vienen o nos llegan tarde.
Lucen de cerca, pasan de corrida,
los bienes y las glorias de la vida.
¡Triste del hombre que en la edad florida
coger las flores del vivir *aguarde!
15 Los bienes y las glorias de la vida
o nunca vienen o nos llegan tarde.

—*Manuel González Prada* (Perú: 1844–1919)

Los Colorados

(Narración histórica boliviana)

En 1879, bajo la presión del Perú, con quien tenía tratados de alianza, Bolivia emprendió la guerra contra Chile, aunque su ejército mal armado no contaba más de cinco mil hombres. El pretexto de aquella guerra, que la historia llama la «Guerra del Pacífico», *lo dieron las salitrerías de Atacama,[1] que el general Hilarión Daza, dictador de Bolivia, había sobrecargado de impuestos, burlando solemnes estipulaciones.

Daza concluyó una alianza con el Perú y en el sur de este país se unió al ejército peruano, pero huyó cobardemente del combate y fué expulsado con ignominia. La guerra fué desastrosa para las fuerzas aliadas, y a consecuencia de la paz de 1884 perdió Bolivia su litoral marítimo.

* * *

Entre los cuerpos militares de Bolivia que por su valor se distinguieron en la Guerra del Pacífico ganaron fama imperecedera «los Colorados». Este nombre se daba a un batallón de línea cuyas casacas eran de ese color. Constaba de setecientos hombres y su fama procedía desde la época sangrienta del dictador Mariano Melgarejo quien el 28 de diciembre de 1864 se había proclamado presidente de Bolivia.

Todo terreno era familiar a «los Colorados»—la cordillera nevada, el fértil valle, la extensión infinita de la *puna*.[2] Eran hombres de gran talla, casi todos barbudos, como su jefe. Con las altas botas, la reluciente coraza, los plumados cascos y las largas capas, habrían hecho el efecto de una compañía del duque de Alba[3] en los llanos de Flandes.[4]

Era el 26 de Mayo de 1880. El ejército chileno se disponía a atacar a las tropas aliadas concentradas en Tacna.[5] Éstas se aprestaron entonces a la batalla, situándose en un lugar en las afueras de Tacna, que fué bautizado con el nombre de *Alto de la Alianza*. A las ocho y media de la mañana comenzó el combate.

Mandaba a «los Colorados» el coronel Ildefonso Murguía, un hombre como de seis pies de estatura. Su barba casi le cubría el pecho. De pronto el coronel dió una voz. Inmediatamente el batallón desapareció del sitio que ocupaba y lanzando un grito de furor cayó por diez partes distintas sobre el enemigo, vomitando metralla en oleadas no interrumpidas, destructoras y mortíferas.

El batallón chileno «Valparaíso» había sido deshecho. Avanzaron el «Chillán», el «Esmeralda» y el «Navales». *Les cupo la misma suerte; retrocedieron. Aquellos «Colorados» eran combatientes de pesadilla. Eran los soldados fantasmas por cuyos cuerpos atravesaban las balas sin derribarlos. Caían heridos, *pero para ponerse de pie, y sus chaquetas rojas de ordinario, más rojas aún por la sangre que les cubría, cruzaban como relámpagos ante los ojos de los soldados chilenos; cegándoles, parecían circulantes lenguas de fuego cuyo solo contacto producía la muerte.

Jamás se notaba un claro en sus filas. Los muertos y los heridos eran inmediatamente reemplazados. ¡Tram, tram, tram! Y el batallón diezmado, avanzaba siempre, cargando, arrollando, aniquilando. Inclinaban la cabeza, avanzando a un trote acompasado, fijos los ojos en el enemigo, no para contarlo, sino para ver cuánto había *por destruir.

El choque era terrible; la carnicería espantosa. «Los Colorados» parecían dotados de cien brazos, cada brazo de un arma *y en cada arma una vida contraria. Algunos morían de pie, sostenidos por tres o cuatro rifles clavados en sus cuerpos a manera de trípodes.

Cuando a la caída de la tarde se pronunció la derrota y el corneta del batallón tocaba retirada, no apareció ninguno de ellos. Al cerrar la noche el corneta continuaba llamando; ninguna chaqueta roja respondía a la cita. La corneta[6] siguió resonando toda la noche; nadie se acercaba. Los que no habían muerto eran prisioneros y no llegaban a veinte.

Ya en pleno día el campo se vió sembrado de puntos rojos. Eran «los Colorados», que como los legionarios de Roma en Benevento,[7] habían caído de la cara al cielo.

NOTAS ACLARATORIAS

1. **Atacama.** Región en el norte de Chile que produce la mayor parte del salitre del mundo. Antes de 1884 perteneció a Bolivia.

2. ***puna.*** Voz americana que se aplica a un terreno muy frío de los Andes—desierto, elevado y sin vegetación.

3. **duque de Alba** (1508–1582). General de Carlos V y de Felipe II, fué uno de los más grandes genios militares que registra la historia. Después de guerrear contra los franceses y los italianos en Italia, fué enviado a Flandes con los más extensos poderes, y ocupó sólidamente aquel país.

4. **Flandes.** Nombre que se dió en otro tiempo a una comarca que comprendía más o menos los actuales reinos de Holanda y Bélgica.

5. **Tacna.** Ciudad en el sur del Perú, a corta distancia del mar.

6. **corneta.** Nótese que el nombre del instrumento es femenino. El que toca ese instrumento es « **el corneta**».

7. **Benevento.** Ciudad de Italia, cerca de Nápoles. Allí se libró una batalla sangrienta en que fué vencido Pirro, rey de Epiro, por los romanos (275 antes de Jesucristo).

Acuarela

Con vuelo blanco la paloma
baja a beber al manantial,
y la vacada lenta asoma
como en un cuento pastoral.
5 Las florecillas de la loma
y el árbol viejo y patriarcal,
dan el incienso de su aroma
al pensativo peñascal.
El rosa-lila del celaje
10 es el ensueño del paisaje
bajo el silencio vesperal.
La venus, límpida, fulgura
y se estremece la natura
en la eclosión primaveral.

—*Juan Capriles* (Bolivia: contemporáneo)

Publishers' Photo Service, N. Y.

El Salto del Soldado

(Episodio chileno)

Era en los momentos de mayor agitación y de lucha sin tregua, entre los patriotas chilenos y los realistas. En Rancagua[1] se libraba la batalla casi decisiva para los primeros. La plaza se defendía con tesón, pero la mortandad era mucha y los víveres escaseaban. 5

El caudillo de Rancagua, el inmortal Bernardo O'Higgins,[2] mostraba su serenidad en todas partes, buscando aunque inútilmente, medios eficaces para continuar la defensa, halagado todavía con la esperanza *de que acudieran en socorro de la plaza. Pero José Miguel Carrera,[3] 10 aquel legendario guerrero de gran renombre en la historia de Chile, o por rencillas de amor propio o por rivalidades políticas, se mantenía distante, sin intentar la salvación de Rancagua.

Toda la noche esperó O'Higgins. Al amanecer au- 15 mentó la ansiedad. La sed y el hambre rendían a los soldados que habían escapado a las balas enemigas. Sostenersc era un imposible; la lucha estéril, inútil; y la muerte segura para los pocos que aún se defendían. Su deber le aconsejaba salvarlos, jugando el todo por el 20 todo.

—¡A caballo!—gritó con voz de trueno—¡a escape sobre el enemigo!

La orden se ejecutó. Los soldados siguieron a su caudillo y abrieron brecha en las filas realistas. Tal fué 25 la sorpresa de éstos que no les fué posible perseguirlos en su fuga. Entre nubes de polvo y descendiendo por una barranca, desaparecieron los chilenos entre una lluvia de balas.

En la ciudad abandonada sólo quedaban cadáveres o moribundos. Entre éstos se hallaba un oficial muy joven, un abanderado, que agonizaba en una trinchera, sosteniendo entre sus manos el pabellón nacional. En un esfuerzo supremo intentó levantarse, extendió su brazo, lanzó un gemido y se desplomó, pero sin abandonar la bandera.

A pocos pasos yacía un soldado herido. Al ver al oficial sintió éste algo indecible—un raudal de nueva vida, un deseo de salvar aquella bandera que el moribundo estrechaba contra su corazón.

Ya se acercaban los enemigos; ya crecía el rumor; ya resonaban los gritos de triunfo. No había que perder un minuto. Se acercó al cuerpo inerte. El abanderado, aun con los ojos nublados, le reconoció, y con voz apagada, dijo:

—¡La bandera, la bandera!

Con rápido ademán la arrancó y salió a escape casi en el momento en que llegaba el enemigo.

Los realistas, repuestos de la sorpresa, dieron caza a este hombre que huía como si *tuviera alas. Pero no era cosa fácil cogerle. Experto conocedor del terreno, se perdió en las hondonadas, siguiendo la carrera más o menos escabrosa de la cordillera, donde había cortaduras, abismos, barrancos de profundidad insondable y quebradas al fondo de las cuales bullía un río.

Los realistas no se desmayaban. A toda costa querían coger al animoso prófugo, al que creían portador de despachos y futuros planes.

A todo trance pensó en escalar la serranía, pero llegó a un sitio en que no había paso. Los altísimos murallones de piedra formaban cortaduras inaccesibles y tan hondas que la vista no alcanzaba al fondo.

Sobre la llanura de una roca se detuvo un momento. Escuchó. A distancia oía el rumor de voces; buscaban su huella. Vaciló el soldado unos minutos. Midió la distancia en la semi-obscuridad del crepúsculo. Una voz de mando le hizo estremecer. No le había perdido de vista el enemigo.

*¡Prenderle! ¡Matarle!—gritó el jefe de la partida—. ¡No puede escaparse . . . es nuestro!

De una cima a la otra había gran espacio. En el fondo corrían las aguas tumultuosas del río. Con sobrehumano esfuerzo retrocedió el soldado algunos pasos. Tomó vuelo, y enarbolando la bandera, dió un salto prodigioso para ganar el lado opuesto, afianzándose en los peñascos, dejándolos teñidos de sangre; pero había salvado el pabellón glorioso.

Hasta la famosa cortadura llegaron sus perseguidores, convencidos de que había muerto en el abismo. ¡Y cuál no fué su asombro al verle escalar los peñascos, correr por las cimas nevadas y perderse a lo lejos en la inmensidad de la cordillera!

Aquel sitio se conoce desde entonces con el nombre de *Salto del Soldado*.

NOTAS ACLARATORIAS

1. **Rancagua.** Ciudad en el centro de Chile.

2. **Bernardo O'Higgins.** Ilustre general y político chileno, de origen irlandés, y una de las figuras más notables de la Guerra de la Independencia. Nació en 1776, fué Director de Chile desde 1817 hasta 1823, y murió en 1825.

3. **José Miguel Carrera.** Primer presidente de Chile; se distinguió en la Guerra de la Independencia. Fué fusilado en 1821.

*Tarde en el hospital

Sobre el campo el agua mustia
cae fina, grácil, leve;
con el agua cae angustia;
llueve . . .

5 Y pues solo en amplia pieza,
yazgo en cama, yazgo enfermo,
para espantar la tristeza,
duermo.

Pero el agua ha lloriqueado
10 junto a mí, cansada, leve;
despierto sobresaltado;
llueve . . .

Entonces, muerto de angustia,
ante el panorama inmenso,
15 mientras cae el agua mustia,
pienso.

—*Carlos Pezoa Véliz* (Chile: 1879–1908)

IV

LOS PAÍSES RIOPLATENSES

La tradición de Lucía Miranda

(Episodio argentino)

En 1526 Sebastián Caboto[1] fundó el fuerte del Espíritu Santo, la primera colonia del Río de la Plata,[2] en el territorio de los indios timbúes. La guarnición del fuerte se componía de ciento diez hombres, los que, al parecer, estaban en perfecta armonía con los timbúes. El cacique de los indios, hombre belicoso y audaz, se llamaba Mangora. Los españoles tenían por jefe al capitán don Nuño de Lara.

* * *

Había entre los españoles una dama hermosísima, Lucía Miranda, mujer del soldado Sebastián Hurtado. La belleza de Lucía deslumbró al cacique de los timbúes y quiso apoderarse de ella a todo trance para hacerla su esposa. Decidido a robarla, preparó una horrible traición.

Resuelto a todo, esperó la ocasión propicia, que no tardó en presentarse. Los víveres de los españoles escaseaban y para renovarlos salió el capitán Rodríguez Mosquera con cincuenta de los suyos, entre ellos Hurtado, dejando escasísima guarnición, como había hecho anteriormente en casos análogos y confiando en la mansedumbre y amistad de los timbúes.

Mangora no perdió un instante. Con toda diligencia puso sobre las armas cuatro mil hombres y los emboscó cerca del fuerte, previniéndolos de adelantarse al abrigo de la noche. Seguido de treinta soldados escogidos y cargados de subsistencias, el cacique llegó al fuerte y las ofreció al capitán Lara.

El español recibió este donativo con demostraciones de reconocimiento y a causa de la proximidad de la noche 5 dió acogida bajo su techo a los indios.

Aquella noche los indios y los españoles cenaron y bebieron muy contentos. Cansados del festín se acostaron. Mientras que dormían los españoles, Mangora pegó fuego a la sala de armas, abrió a sus tropas las 10 puertas de la fortaleza, y todos juntos cayeron sobre los españoles, haciendo espantosa carnicería.

La escena fué horrorosa. Los desventurados conquistadores vendieron muy caras sus vidas. Lara, combatiendo con un valor increíble, y respirando venganza, 15 buscaba con los ojos a Mangora. Al punto mismo que le vió, el indio sujetaba en sus brazos nervudos a la infeliz Lucía. Precipitadamente el español se abrió camino con su espada entre la densa multitud, y aunque con una flecha en el costado, no paró hasta que hundió 20 su arma toda entera en la persona de su enemigo. Ambos cayeron muertos.

Ninguno escapó con vida en aquella matanza, a excepción de algunos niños y mujeres, entre ellas Lucía. Todos fueron llevados a presencia de Siripo, sucesor del 25 detestable Mangora. Este cacique también se había prendado de la hermosa española y resolvió de pronto hacerla suya.

Se arrojó a los pies de la cautiva, asegurándole que la pondría en libertad *siempre que condescendiese en 30 darle su mano. Pero Lucía, con un aire severo y desdeñoso rechazó su proposición prefiriendo una esclavitud que la dejaba leal a su esposo.

Al día siguiente de la catástrofe volvió al fuerte Hurtado. En lugar de la fortaleza no veía más que ruinas. Con ansiedad se puso a buscar a su esposa y sólo tropezaba con los destrozos de la muerte. Luego que supo que Lucía se hallaba entre los timbúes, precipitadamente se escapó de los suyos, y recorriendo campos y espesuras 5 para rescatarla, cayó en manos de los indios y fué llevado a presencia de Siripo.

A la vista de un rival tan odioso el indio sintió en seguida la acedía de los celos en su alma. Su muerte fué decretada inmediatamente. Lucía se echó a los pies de 10 Siripo suplicándole *que revocara la sentencia. Ella *lo consiguió, pero bajo la dura condición de que *escogiese Hurtado otra mujer entre las doncellas timbúes, y que en adelante *no se tratasen sino como dos personas indiferentes. 15

Los dos rechazaron esta proposición. El indio, ciego de rabia y celos al verse rechazado, *mandó que Lucía fuese quemada viva *y que su esposo muriese asaeteado.

NOTAS ACLARATORIAS

1. **Sebastián Caboto** (1470–1555). Hijo del famoso navegante veneciano, Juan Caboto.

2. **Río de la Plata.** Inmenso estuario entre la Argentina y el Uruguay.

En viaje

¡Aves *que os lanzáis a vuelo
sobre las ondas del mar,
con aquel incierto anhelo
*del que ignora el blando suelo
5 a donde quiere llegar,
cual *vos, presiente errabundo
mi espíritu un más allá,
y con anhelo profundo
sobre las olas del mundo
10 ansioso volando va!

—*Calixto Oyuela* (Argentina: 1857-)

Tabaré

(Leyenda uruguaya)

En los primeros años de la conquista de América una hermosa española cayó en manos de un viejo cacique del Uruguay, que se llamaba Caracé. *Al hijo de esa prisionera y del indio, nacido en el bosque y arrullado por los primeros cánticos cristianos que resonaron en el Uruguay, 5
le llamaron Tabaré.

La tribu churrúa, en que nació, era la más brava y salvaje del país, y en la barbarie se crió Tabaré, aunque en su corazón había recuerdos de que su madre, que ya había muerto, no era como aquellos salvajes que le 10
rodeaban. Debido a esto, sin duda, la ferocidad de su ánimo se templaba por cierta instintiva repugnancia que le asaltaba a veces.

Un día Tabaré cayó prisionero de los españoles, capitaneados por don Gonzalo de Orgaz. Cuando volvió éste 15
a la colonia española, doña Blanca, su hermana, distinguió a Tabaré que allí venía entre los otros presos. Tembló al mirar a ese indio—. Me miró de un modo tan extraño—exclamó la joven a don Gonzalo—. ¿Está enfermo? ¿Qué tiene? Me despierta una profunda lás- 20
tima. ¿Qué harás con él? ¿Quién es? ¿Cómo se llama?

—No lo sé, repuso don Gonzalo—. Ese hombre es un misterio. Al cruzar aquel bosque le encontramos en actitud de plegaria. *Le he dado el pueblo por cárcel. 25

Deslumbrado por la hermosura de doña Blanca, el indio se enamoró de la mujer blanca, sin saber en realidad si aquello que él sentía era amor. La española no le correspondió, pero tuvo profunda piedad por él.

Tabaré pasaba las noches frente a la habitación de Blanca. Los soldados, creyéndole espectro, trataron muchas veces de aprisionarle. Una noche llegaron a darle lanzadas y *si en el momento oportuno no hubiese llegado el Padre Esteban, misionero bondadoso con los indios, le hubieran matado. El misionero abrió los brazos a Tabaré y reclinó sobre su pecho la cabeza del indio. A pocos días, a instancias de doña Blanca, *se le dió la libertad a Tabaré. Éste volvió a sus bosques, desesperado porque la mujer blanca no se había dado cuenta de su amor. Al llegar allí, supo que había muerto el viejo cacique y que se había elegido otro—Yamandú—enemigo mortal de los españoles, que había decidido atacarlos.

Una noche los indios al mando del nuevo cacique asaltaron la fortaleza de los blancos. Yamandú *se robó a la doncella española y se internó con ella en un bosque. La virgen lanzó un grito horroroso y ese grito resonó en el corazón de otro indio que por allí vagaba errante y triste, y que apareció donde doña Blanca yacía casi exánime.

Era Tabaré. Saltó sobre el cacique, luchó con él y le mató, librando a su amada. Entonces huyó a esconder el cadáver entre unas zarzas. Oyendo el quejido de la doncella que estaba volviendo en sí, volvió al sitio en que la había dejado. Cuando doña Blanca miró a Tabaré, le inculpó de haberla robado, pues durante su vértigo no se había dado cuenta de la escena entre los dos indios.

—¿Por qué me odias?—le dijo al indio—. Yo nunca te hice mal. *Deja que rece para morir tranquila.

—¡No! Tú no morirás nunca—interpuso el indio.

Doña Blanca miró a Tabaré y éste, en hermosas frases, le pintó su desgracia y le aseguró que la llevaría a la colonia española y que él volvería a su selva a morir olvidado.

Entretanto, don Gonzalo había organizado una batida por aquellos bosques, para rescatar a su hermana, y en esto sorprendió a Tabaré cuando llevaba a doña Blanca hacia la colonia de los blancos.

Don Gonzalo estaba como un loco. Cuando distinguió al indio con su hermana, pensó que el raptor era Tabaré. Saltó sobre él y le hundió la espada en el pecho. Cayó el indio, y en aquel momento doña Blanca se hizo cargo de cuanto había ocurrido. Comprendió el amor de Tabaré, se abrazó al cuerpo de aquel infortunado charrúa a quien tanto amor y tantas ternuras debía, y prorrumpió en sollozos.

El indio la miró dulcemente un momento y cerró los ojos *para no volver a abrirlos.

* * *

La tarde espiraba y se oía entre los rumores del crepúsculo la oración del monje por los muertos.

¡Pobre Tabaré! Aquel indio salvaje había amado con ternura de ángel; nació infortunado, vivió sin ventura y murió sin mancha.

*La tejedora de *ñandutí*

Graciosa, esbelta, pura y sencilla,
*con aleteos de *mainumbí*,[1]
al brazo lleva su canastilla,
la tejedora de *ñandutí*.[2]

5 Flores de *ceibo*[3] su boca imita;
su talle es fino como el *pirí*.[4]
*¿Quién la resiste, si es tan bonita,
y hace tejidos de *ñandutí*?

*Carlos la adora, y oye en el sueño,
10 dulces palabras en guaraní,[5]
y que le *llama su amado dueño,
la tejedora de *ñandutí*.

Ayer le dijo: «¡Qué hermosa eres!
¡Oh, paraguaya, muero por ti!
15 Juntos haremos, si tú me quieres,
muchos tejidos de *ñandutí*.»

«—*Gracias—responde—, pues soy dichosa
en las riberas del Tacuarí;[6]
donde es amada como una diosa,
20 la tejedora de *ñandutí*.

Mi novio cuida sus lindas cabras,
siembra mandioca, planta *maní*;[7]
más primorosas son sus palabras,
que mis tejidos de *ñandutí*.

Photo by Ewing Galloway, N. Y.

Paraguaya con Encaje de Ñandutí

En su canoa me lleva al lado;
me da fragante *piripotí*[8] . . .
*¡Si lo supieras! Le tengo atado
con suaves lazos de *ñandutí* . . .

¿Quién es más noble, quién más rico 5
que mi adorado? ¡Feliz de mí!»
Y coqueteaba con su abanico
lleno de estrellas de *ñandutí*.

Cogió, sonriendo, su canastilla,
y, con la gracia del *mainumbí*, 10
siguió su ruta, *tierna y sencilla,
la tejedora de *ñandutí*.

—*Victoriano Montes* (Uruguay: 1846–1918)

NOTAS ACLARATORIAS

1. ***mainumbí***. Voz guaraní que significa « picaflor ».
2. ***ñandutí***. Nombre, en guaraní, de una araña blanca. De ahí se le da a una especie de encaje muy delicado, que imita la tela de la araña blanca. Dicho tejido es obra de labor paciente, que se hace a mano en el Paraguay.
3. ***ceibo***. Voz rioplatense; uno de los nombres del « bucare », árbol de hermosas flores rojas, que sirve para proteger contra el sol los plantíos de café y de cacao.
4. ***pirí***. Palabra guaranítica; nombre de un junco que crece, en el Paraguay, a la orilla de los ríos y de los lagos.
5. **guaraní**. Idioma primitivo de los indios que habitaban los inmensos territorios que hoy forman las Repúblicas Argentina, Uruguaya y Paraguaya. Es un lenguaje lleno de majestad y armonía, y actualmente lo hablan no sólo los indios, sino también muchos de los criollos del Paraguay.
6. **Tacuarí**. Río del Paraguay, en la parte septentrional.
7. ***maní***. Voz americana que significa « cacahuete ».
8. ***piripotí***. Nombre de la flor del « pirí ». « Potí » significa « flor », en guaraní.

La muerte desviada

(Episodio paraguayo)

La obscura e indecisa cuestión de las fronteras fué causa, en 1865, de una guerra entre el Paraguay y los tres países aliados del Brasil, el Uruguay y la Argentina. En diciembre de 1868, después de tres años de sangrientos 5 y heroicos combates, la Asunción[1] cayó en manos de los aliados. Esta guerra, que duró hasta 1870, cuando Solano López[2] murió en un combate, diezmó la población y el Paraguay, vencido, conservó su independencia sólo a consecuencia de importantes concesiones.

10 El episodio que sigue es de esta guerra, que la historia llama «Guerra del Paraguay contra la Triple Alianza».

* * *

—¿Tu nombre?

—Carlos Melgarejo, *mi general.

—¿Vive tu madre?

15 —La perdí antes de la guerra.

—¿Tienes parientes?

—Ninguno vivo, mi general. Mi padre murió en Corrales,[3] y un hermano mío en Boquerón.[4]

Era un niño como de doce años, de ojos vivos y de cara 20 inteligente. Hablaba con cierto orgullo de la heroica muerte de su padre y del hermano. El general Díaz[5] pasó la mano por la cabeza del niño, jugando con sus negros bucles, mientras vigilaba lo que hacían sus soldados. Luego se alejó, sonriente, complacido de ver in-

Photo by Ewing Galloway, N. Y.

TUMBA DE SOLANO LÓPEZ—ASUNCIÓN

flamarse el alma del niño con la pasión sagrada de la patria.

Le había recogido un soldado, padrino suyo. Consiguiéronle un morrión, una camisa de bayeta roja, y así vestido de uniforme, paseábase ufano por todo el campamento. Regocijaba a la tropa con su charla infantil, mezcla de ingenuidad y de ingenio.

Las tropas trabajaban día y noche para fortificar Curupaití.[6] El ejército paraguayo acababa de sufrir el desastre de Curuzú[7] y se preveía el inminente avance del enemigo, cuyo paso había que cerrar a toda costa. Era dura y continuada la labor de los guerreros. Soldados y oficiales se confundían. Comían sin abandonar la tarea y charlaban para ahuyentar el desaliento.

* * *

Era el día de Curupaití. La escuadra brasilera inició el bombardeo. Las balas pasaban gimiendo por encima de las cabezas, sin dañar las fortificaciones.

Carlos Melgarejo estaba junto a las baterías del general Ortiz, frente al río. Llevándose los dedos a la boca, remedaba el silbo agudo de los proyectiles enemigos.

En las posiciones paraguayas imperaba un silencio de muerte. De pronto, los guerreros escucharon la voz del *turú*[8] burlón, que sonaba el niño. En todos los ojos resplandeció un brillo jovial. Se sabía cuánto molestaba aquello a los soldados de la alianza.

La voz mordaz y potente del *turú* hería los nervios del enemigo, y le exasperaba.

Volvió a imperar un silencio turbador. Una inmensa ansiedad reinaba en las trincheras, cuando rompieron la calma los sones de una música guerrera. Los enemigos, vistiendo traje de gala, avanzaron a paso de carga.

La artillería paraguaya estalló en un estruendo, abriendo una ancha brecha en la masa compacta de los asaltantes. El bombardeo de las trincheras proseguía cada vez más intenso.

5 En aquel instante supremo, una bomba enemiga cayó junto al general Díaz quien, erguido sobre brioso corcel, daba sus órdenes. Todos los ojos se clavaron con espanto en la mecha encendida. Y en el segundo trágico, los soldados asombrados vieron a Carlos Melgarejo caer de 10 un salto sobre el proyectil. La bomba estalló bajo el cuerpo de aquel niño, acribillándole con sus pedazos.

El golpe de la muerte había sido desviado. El general llevó la mano al kepí, saludando al cadáver ensangrentado del último vástago de una familia de héroes.

* * *

15 El estruendo de la batalla repercutía en el espacio, y el sol de septiembre arrojaba sus rayos como flechas en un cielo sin nubes.

NOTAS ACLARATORIAS

1. **La Asunción.** Capital del Paraguay.
2. **Francisco Solano López** (1827–1870). Presidente del Paraguay desde 1862 hasta su muerte, ocurrida en las orillas del Aquidaban, en el norte del Paraguay.
3. **Corrales.** Sitio de la Provincia de Corrientes (Argentina), sobre el río Paraná. Allí se libró la batalla que lleva este nombre entre 450 paraguayos y 5,000 argentinos. Ganaron los paraguayos. Es una de las tantas batallas aparentemente inverosímiles de aquella guerra casi fantástica.
4. **Boquerón.** Pueblo de la Provincia de Corrientes, cerca del extremo sur del Paraguay. Allí rindieron la vida más de 5,000 aliados el 18 de Julio de 1866.
5. **José E. Díaz** (1833–1867). Uno de los generales más célebres del ejército paraguayo.

6. **Curupaití.** En territorio paraguayo, en el extremo suroeste. Es el sitio en donde culminó más alto la resistencia del ejército paraguayo. Allí ganaron los paraguayos una batalla notable el 22 de Diciembre de 1866.

7. **Curuzú.** Pueblo de la Provincia de Corrientes, donde los aliados tomaron las trincheras a los paraguayos durante la batalla del 3 de Septiembre de 1866.

8. ***turú.*** Cuerno de vaca con un agujero en el extremo puntiagudo. Tiene un sonido ronco y penetrante.

Vengo otra vez a ti . . .

Con paso tardo, caminando a tientas,
vengo otra vez a ti *porque me mientas
un poquito de amor
que me *conforte en *la suprema marcha,
5 *antes que nieve sobre mí la escarcha
de un hondo desaliento abrumador.

Yo no puedo vivir sin un afecto
*que alumbre y guíe mi camino recto
con un dulce fulgor;
10 por eso con la angustia de un sollozo,
torno a tu lado, trémulo y lloroso,
a repetirte mi canción de amor.

—*Facundo Recalde* (Paraguay: contemporáneo)

NOTES

NOTES

PAGE **7**, LINE 1. **a principios:** 'at the beginning.' The article is often omitted in many prepositional phrases in Spanish. This is a very common usage.

7, 1. **llegó Hernán Cortés = Hernán Cortés llegó.** In Spanish the subject or object may precede or follow with a freedom not allowed in English. This is true both in conversational and in written Spanish.

7, 2. **después de apoderarse:** 'after seizing.' The infinitive is used in Spanish after a preposition, where English requires a present participle.

7, 7. **llegaron los españoles.** See second note to p. **7**, l. 1.

7, 12. **sin perdonar:** 'without sparing.' See note to p. **7**, l. 2.

7, 19. **hasta que . . . imposible:** 'until Cortez, convinced that it was now impossible.'

8, 3. **debía ser:** 'was to be.' **Deber** is a regular verb in Spanish. It expresses the ideas of duty, obligation, or undefined necessity, or inference or conjecture, which are rendered into English by 'ought', 'should', 'must', 'be to', 'have to.'

8, 5. **mandó asesinar . . .** **Hacer** and **mandar,** followed by an infinitive, mean 'to make, cause, or order a thing to be done.' Translate: 'ordered the murder of . . .'

8, 15. **¿Salgo?:** 'Shall I go out?' The present is occasionally used for the future in order to make the action more vivid.

8, 17. **hoy . . . igual:** 'whether to-day or to-morrow, it makes no difference.'

8, 20. **ya no se puede volver atrás:** 'we cannot turn back now.' Spanish verbs are frequently used reflexively in the third person singular, with no subject expressed. In such cases, the reflexive verb may be translated by the corresponding English verb with the words 'one', 'people', 'we', 'they', etc., as the subject, or by the passive voice.

8, 21. **que haya . . . todos:** 'let everything be carried out as quietly and secretly as possible, and let everyone go out cautiously.' The verb is in the subjunctive after an omitted verb of command or wish.

8, 26. **se escuchaba.** The reflexive form of the verb, with subject expressed, is frequently used to replace the passive voice. In such cases, the verb is generally singular or plural according to the number of the subject. Compare **se hacían** in the following clause. Translate: 'were heard' (*or* 'one could hear') *and* 'were being made.'

11, 4. **eso eres tú:** 'that is what you are.' The neuter pronoun always refers to an idea or clause previously expressed.

12, 7. **los primeros marcados:** 'the first to be marked.'

13, 2. **por no se sabe qué . . . :** 'for some unknown . . .' See note to p. **8,** l. 20.

13, 19. **Mandil ceñido:** 'With his apron on (i.e. tied around his waist).' The past participle is sometimes used in an absolute construction with a noun or pronoun to express time or circumstance. In this case it agrees with its noun or pronoun.

13, 21. **iban formándose:** 'rose.' Literally, 'kept on forming *or* taking shape.' **Ir** with the present participle often expresses continuous action or an action in progress.

13, 22. **terminados:** 'when they were completed.' See note to p. **13,** l. 19.

13, 29. **se le acercó:** 'he approached him.'

14, 4. **a quien . . . importó poco que fuese hecha:** 'who . . . cared little whether it was built.' Subjunctive after the impersonal verb **importar.**

17, 12. **fiero y receloso.** Spanish frequently uses an adjective where English requires an adverb.

17, 22. **lo ocurrido:** 'what had happened.' The neuter article **lo** is used with the masculine singular of adjectives and participles to express an abstract meaning.

17, 23. **sin que . . . detuviesen:** 'paying no heed to . . .' Literally, 'without Xochitl's cries stopping him.' Subjunctive in adverbial clause of restriction.

17, 28. **Llegados:** 'having arrived.' See note to p. **13,** l. 19.

17, 30. **de todo lo que era . . . capaz de hacer:** 'all he was . . . willing to do.' Spanish requires **de lo que** where we should expect **lo de que.**

20, 1. **tierna.** Adjective used with the force of an adverb. See note to p. **17,** l. 12. This usage occurs several times in this poem: **ufana, férvido, trémulo, ingrata.**

20, 3. **bien:** 'love.'

21, 12. **¡dile que muero!:** 'tell her that I shall die!' See note to p. **8,** l. 15.

22, 15. **le encargó que buscase:** 'commanded him to look for.' Subjunctive after a verb of command.

22, 16. **había de:** 'was to.' The various tenses of **haber** followed by **de** and an infinitive express what is (or was) likely to happen.

23, 2. **le mandaron que se rindiera:** 'ordered him to surrender.' Subjunctive after a verb of command.

23, 23. **dispuso que fuese . . . :** 'he ordered that . . . should go.' Subjunctive after a verb of causation.

24, 1. **se le vió . . . caer por:** 'he was seen falling . . . down.' In Spanish verbs of seeing and hearing are regularly followed by a complementary infinitive, instead of a present participle. See also note to p. **8,** l. 20.

25, Poem. The sadness of this lyrical gem gives it a tone of beauty, while the various repetitions give it an artistic and musical effect.

25, 16. **soles:** 'eyes.' It is quite common in Spanish poetry to compare a woman's eyes to the sun, or to call them **"soles".**

26, 7. **para obligar . . . que aceptasen:** 'to force . . . to accept.' Subjunctive after a verb of causation.

26, 10. **Por dondequiera entraban:** 'They went in everywhere.'

26, 25. **terminara:** 'had ended.' The conjunction **antes que,** since it refers invariably to an unrealized action, governs the subjunctive even when the main verb is in the past tense.

27, 5. **Viéndose morir:** 'Realizing that she was about to die.'

27, 9. **estuviese:** 'there should be.' Subjunctive after a verb of willing.

27, 10. **que . . . oyese:** 'who . . . heard.' Subjunctive in a relative clause with indefinite antecedent (the soldier is as yet unidentified. He is referred to in definite terms below, l. 19: **el oficial que había oído.** Note here the use of the indicative).

27, 20. **como oyera:** 'as he heard.' **Como,** when it has causal force, frequently governs the subjunctive.

27, 28. **para que recogiese:** 'to get.' Subjunctive in a clause of purpose.

29, Poem. Santiago Argüello, the leading living poet of Nicaragua, has beautifully expressed in this poem the feelings of one who has "the blues" on a dark and gloomy day.

29, 8. **o lo que no fué:** 'or never was.'

29, 9. **la melancolía.** This is the subject of **oprime.**

29, 12. **llorosa:** 'sad.'

29, 13. **Se destiñe el rojo de la celosía.** Because darkness descending makes the red of the shutters on the windows indistinct; hence **destiñe.**

29, 15. **yo nada tenía:** 'nothing was the matter with me.'

30, 24. **alguien se la había llevado:** 'some one had carried it off.' Verbs that express the idea of separation, or an action to the advantage or disadvantage of a person or thing, take as indirect object the person or thing concerned.

31, 9. **darle.** The pronoun **le** here merely repeats the object **asunto.** In Spanish a superfluous pronoun is often inserted in the sentence to repeat or anticipate a direct or indirect noun or pronoun object. The extra pronoun here serves to make the object more emphatic. Omit in translation.

32, 1. **Ignórase = se ignora.** This word order is common at the beginning of a sentence, particularly in literary style.

32, 4. **se le dió:** 'was given.' See note to p. **8,** l. 20.

33, Poem. Note in this lyrical gem how the poet compares the disappearance of the last shades of night before the rising sun (**el flechero enemigo,** because he shoots darts) to a she-wolf slinking away from the huntsman. The petals of the poinsettia he calls 'daggers' on account of their shape, and the flower itself is called **pastora** because, like a shepherdess, she stands in the field 'guarding' the different plants and herbs there.

34, 14. **la.** When a noun object precedes the verb, a corresponding pronoun object is required. It is not translated into English.

34, 25. **se veía que bajaba . . . :** ' . . . was seen to come down.' See note to p. **8,** l. 20.

35, 30. **a Chagira.** The use of **a** as sign of the direct object permits the latter to precede the verb.

35, 31. **. . . se la ve remontando el río:** 'one can see . . . going up the river.' See notes to p. **8,** l. 20, and p. **34,** l. 14.

37, 6. **aquél.** The demonstrative often follows the noun in modern Spanish. In this case the noun is preceded by the definite article.

42, 3. **a donde llegasen:** 'at which they should arrive.' Subjunctive after indefinite antecedent.

42, 3. **para que . . . salvajes:** 'for the savages to worship.' Subjunctive in clause of purpose.

42, 32. **cayera:** 'might fall.' Subjunctive after verb of fearing.

45, 1. **rosa blanca.** The white rose is the symbol of friendship and loyalty.

45, 7. **cardo ni oruga.** In prose we should expect **ni cardo ni oruga.**

47, 7. **Habrían pasado . . . :** '. . . must have passed.' The conditional here expresses probability in the past.

47, 17. **hubiera sido:** 'it would have been.' Subjunctive in the conclusion of an unexpressed condition contrary to fact.

48, 12. **No le mates.** In the negative, the familiar imperative is replaced by the second person of the present subjunctive.

48, 16. **. . . que se vaya:** 'let . . . go.' Subjunctive after an omitted verb of command or wish. Cf. note to p. **8**, l. 21.

48, 21. **Agradeced.** Second person plural imperative. The plural of the pronoun was formerly used instead of the singular in formal address. Cf. the French *vous*. **Idos** is second person plural imperative of **irse.**

48, 22. **no volváis.** See note to p. **48**, l. 12.

48, 25. **tú.** Tamayo, who does not share Enriquillo's feeling of respect for Valenzuela, uses the singular, not the plural, when addressing him.

48, 29. **como lo era tu padre:** 'as your father was.' **Lo** refers to the words **buen cristiano** and should not be translated.

48, 30. **halle.** Subjunctive in indefinite adverbial clause.

51, 12. **pudiera vigilarse:** 'watch could be kept over.' With **querer, poder** and **deber** the conditional is commonly replaced by the **-ra** subjunctive.

51, 23. **Transcurrido . . . :** '. . . having elapsed.' See note to p. **13**, l. 19.

51, 23. **cuando se iba olvidando:** 'when they were beginning to forget.' See note to p. **13**, l. 21.

52, 17. **me tocó . . . la vigilancia de:** 'it was my turn to watch at.'

53, 4. **el tiempo . . . sentir:** 'a long time had passed without my noticing it.'

53, 6. **que sea . . . :** 'that . . . be.' Subjunctive after verb of command.

53, 7. **abandone.** Subjunctive in a relative clause with indefinite antecedent.

53, 14. **había . . . suyas:** 'had played another of his tricks.'

53, 19. **a menos . . . suya . . . :** 'unless . . . were a work of his.' A redundant **no** is often used after **a menos que.** Subjunctive in a conditional clause expressing proviso.

56, 11. **había mandado decir:** 'had ordered to be said.' See note to p. **8,** l. 5.

56, 17. **pasó . . . todos:** 'was regarded as dead by everyone.'

59, 6. **doquiera estés:** 'wherever you may be.' Subjunctive in indefinite adverbial clause.

63, 24. **Hizo eregir . . . :** 'He had . . . erected. 'See note to p. **8,** l. 5.

63, 26. **las mandaba fusilar:** 'he had them shot.' See note to p. **8,** l. 5.

64, 18. **fuese:** 'should be.' Subjunctive after verb of willing.

64, 23. **os.** See note to p. **48,** l. 21.

64, 27. **¿Será verdad?:** 'Can it be true?' Future to express wonder or surprise.

65, 8. **se encarceló a . . . :** '. . . was put in prison.' See note to p. **8,** l. 20.

65, 10. **la.** This pronoun is redundant and is not to be translated. See note to p. **31,** l. 9.

68, 17. **partamos:** 'let us depart.' The first person plural of the present subjunctive corresponds to the English 'let us'.

68, 18. **que no:** 'rather than.'

69, 15. **lo que pese:** 'whatever she weighs (i.e. her weight).' Subjunctive after indefinite antecedent.

69, 32. **se lo clavó en el corazón:** 'he drove it into his heart.' In actions affecting the parts of the body the definite article is used instead of the possessive adjective, the possessor being indicated by the indirect pronoun object.

71, 1. **de Santa Ana.** The preposition **de** is used here because **loma** is understood: **loma de Santa Ana.**

72, Poem. In the tropical zone there are only two seasons, the wet and the dry. The wet or rainy season corresponds roughly to the winter season of the temperate zone. This poem, therefore, describes what to us would be a dreary, late fall or winter day; hence the word **gris,** which characterizes a rainy or gloomy day.

72, 1. **Lluvia.** This is a noun, not a verb. This word and the one in the next line are used elliptically. Ellipsis makes for effectiveness and emphasis.

73, 16. **Muerta . . . años:** 'Her mother having been dead for some years. ' See note to p. **13,** l. 19.

73, 17. **lo.** See note to p. **34,** l. 14.

73, 23. **pudiera.** Subjunctive after expression of uncertainty.

74, 21. **logró . . . llegase:** 'succeeded in having a last letter of his reach her hands.' Subjunctive after expression of causation.

75, 2. **el** ***Covadonga.*** The article **el** is used with names of ships, whether they are masculine or feminine, because the word **buque** or **vapor** is understood. The same rule holds for names of rivers: **el Plata** for **el Río de la Plata.**

76, 14. **aguarde.** Subjunctive after indefinite antecedent.

77, 5. **lo dieron:** 'was.' Literally, 'gave it.' The pronoun **lo,** which is not to be translated, is used because of inversion of object (**el pretexto de aquella guerra**) and subject (**las salitrerías de Atacama**). See note to p. **34,** l. 14.

78, 20. **Les cupo la misma suerte:** 'The same lot befell them.'

78, 23. **pero para ponerse de pie:** 'but only to get up again.'

79, 2. **por destruir:** 'to be destroyed.'

79, 5. **y en cada . . . contraria:** 'each one of which claimed the life of an enemy.'

81, 9. **de que acudieran en socorro:** 'that they would come to the aid.' Subjunctive after verb of hoping.

82, 23. **tuviera.** Subjunctive after **como si,** which implies a contrary to fact condition.

83, 9. **¡Prenderle! ¡Matarle!:** 'Take him! Kill him!' The infinitive expresses a more indefinite command than the imperative. Here the chief is giving a general command.

84, POEM. No one in Chile has yet surpassed Pezoa Véliz in lyrical pomp. The poem given here, so evocative in its sweet harmony, has no rival in the Spanish language. It was written a little before the poet's death, in the Hospital of San Vicente (Santiago), on a cold autumn morning in 1908.

88, 29. **siempre que condescendiese en:** 'provided she would condescend to.' Subjunctive of proviso.

89, 11. **que revocara:** 'to revoke.' Subjunctive after verb of entreaty.

89, 11. **lo consiguió:** 'succeeded.' Literally, 'obtained it.' The pronoun lo refers to the revocation of the sentence as expressed in **que revocara la sentencia.** Omit in translation.

89, 12. **escogiese:** 'choose.' Subjunctive of proviso.

89, 14. **no se tratasen sino:** 'they would treat each other only.' Subjunctive of proviso.

89, 17. **mandó que . . . fuese quemada:** 'ordered . . . to be burned at the stake.' Subjunctive after verb of command.

89, 18. **y que . . . asaeteado:** 'and her husband to be shot by his archers.' Subjunctive after verb of command.

90, 1. **que os lanzáis a vuelo:** '(you) who dash in flight.'

90, 4. **del que:** 'of one who.'

90, 6. **vos = vosotros. Vos** is an old form of the personal pronoun for the second person plural. It is still common in Spanish America, both as a singular and as a plural, although the verb is always in the plural.

91, 3. **Al hijo . . . le llamaron:** 'The son . . . was called.' For use of **le**, see note to p. **77,** l. 5.

91, 25. **Le he dado . . . cárcel:** 'I have forbidden him to leave the town.'

92, 6. **si . . . no hubiese . . . hubieran:** 'if . . . had not . . . they would have.' Subjunctives in condition contrary to fact.

92, 10. **se le dió . . . Tabaré:** 'Tabaré was given his freedom.' See note to p. **8,** l. 26.

92, 18. **se.** Dative of interest ('for himself'). Omit in translation.

92, 32. **Deja . . . tranquila:** 'Let me pray in order that I may die in peace.' Subjunctive after expression of entreaty.

93, 18. **para no volver a abrirlos:** 'never to open them again.'

94, Poem. Victoriano Montes was a Uruguayan physician who wrote attractive poems that struck a popular chord. Particularly popular even today are his two lyrical gems, "El tambor de San Martín"—the old soldier who recollects the glories of the South American War of Independence—and "La tejedora de ñandutí"—the country maid who rejects the city wooer. The Guarany words in the poem add to its grace and beauty. In this connection it might be said that Guarany terms are very commonly used by the writers of the Plata countries, particulary the Paraguayan.

94, 2. **con aleteos de *mainumbí*:** 'as graceful as a humming-bird poised in mid-air.'

94, 7. **¿Quién la resiste?:** 'Who can resist her?'

94, 9. **Carlos.** The city wooer.

94, 11. **llama.** The subject is **la tejedora de ñandutí.**

94, 17. **Gracias:** ' No, thank you.' In Spanish one can generally tell by the context or by the tone of the voice whether **gracias** means ' thank you ' or ' no, thank you.'

95, 3. **¡Si lo supieras!:** ' If you only knew it! ' Subjunctive in condition contrary to fact.

95, 11. **tierna; sencilla.** Adjectives used with the force of adverbs.

96, 13. **mi general.** In addressing a superior officer, Spanish uses **mi** before the rank or title. Omit in translation.

100, 2. **porque me mientas . . . :** ' so that you may pretend that you have for me . . .' Subjunctive of intended result.

100, 4. **conforte:** ' will comfort.' Subjunctive after indefinite antecedent.

100, 4. **la suprema marcha:** i.e. ' life.'

100, 5. **antes que nieve . . . la escarcha:** ' before the frost . . . falls . . .' **Antes (de) que** is regularly followed by the subjunctive both in the past and the future. See note to p. **26,** l. 25.

100, 8. **que alumbre y guíe:** to light and guide.' Subjunctive after indefinite antecedent.

EXERCISES

EXERCISES

LA NOCHE TRISTE

I. Modismos.

Empléese cada locución en oración original:

reunirse en
a la vez
al parecer
tener que
llegar a
por todas partes
servir de
empezar a
antes de
después de
sin embargo
para siempre
desde luego
la mayor parte de

II. Preguntas.

1. ¿Quién era Cortés? 2. ¿Cuándo llegó a México? 3. ¿De quién se apoderó a traición? 4. ¿En qué ciudad estableció su cuartel general? 5. ¿Quiénes empezaron a matar a los aztecas sin causa alguna? 6. ¿Qué hizo el pueblo azteca después de esto? 7. ¿Qué resolvió hacer Cortés cuando vió que era imposible sostenerse por más tiempo? 8. ¿A quién mandó asesinar Cortés antes de salir del cuartel? 9. ¿Quién era Marina? 10. ¿Qué le aconsejó ésta a Cortés? 11. ¿Cómo estaba construída la ciudad? 12. ¿Cómo se trabó el combate entre los españoles y los indios? 13. ¿Qué le costó aquella noche terrible a Cortés? 14. ¿Dónde se sentó a llorar su derrota el caudillo español? 15. ¿Qué podía ver Cortés desde donde estaba sentado?

III. Concordancia y colocación de los adjetivos.

Sustitúyase la raya con la forma conveniente del adjetivo que aparece en tipo grueso:

mayor	las — fiestas —
grande	un — teocalli —
indefenso	los — aztecas —
español	las — mujeres —
principal	los — hombres —
magnífico	la — ciudad —
traidor	las — indias —
triste	un — momento —
obscuro	la — noche —
horrible	aquel — día —

IV. Uso de los verbos *ser* y *estar*.

Sustitúyase la raya con la forma conveniente del verbo **ser** *o* **estar**: 1. Ellos — en el teocalli. 2. ¿Dónde — los aztecas? 3. El hermano del emperador no — allí. 4. ¿Quién — aquel indio? 5. — imposible salir de la ciudad. 6. Ella — su hermana. 7. Debe — en el mes de junio. 8. La lucha — horrible. 9. La noche no — obscura. 10. La capital — construída sobre las islas.

V. Traducción.

1. The Spaniards arrive with Cortés. 2. The Aztecs are assembling in the courtyard of the temple. 3. The conquerors spare no one. 4. The Spaniards are convinced that the Indians are aroused. 5. Cortés orders his troops to leave the city at midnight. 6. They are not thinking of repeating their attacks. 7. Marina serves him as an interpreter. 8. This is a sad and terrible night.

EL PUENTE DE LOS ESCLAVOS

I. Modismos.

Empléese cada locución en oración completa:

a orillas de	a medida que
no obstante que	acercarse a
complacerse en	por lo visto
comenzar a	de vez en cuando
dirigirse a	al día siguiente
volver a	no sólo . . . sino también
a pesar de	una vez

II. Preguntas.

1. ¿Dónde está situado el pueblecito de Los Esclavos? 2. ¿Cuándo recibió el pueblo este nombre? 3. ¿Por qué se le dió tal nombre al pueblo? 4. ¿Cuándo se apoderó España de Centro-América? 5. ¿Qué origen se complace la imaginación popular en atribuirle al puente? 6. ¿Por qué castigaba el propietario a sus esclavos? 7. ¿Qué exclamó el esclavo que estaba condenado a ser castigado? 8. ¿Quién le contestó? 9. ¿Qué pacto firmó el esclavo desdichado con el diablo? 10. ¿Quería su amo aceptar la oferta? 11. ¿Cómo empezó el diablo a construir el puente? 12. ¿Por qué comenzó a inquietarse el esclavo? 13. ¿Qué le mostró el esclavo al diablo cuando daba éste la última mano a su obra? 14. ¿Qué hizo el diablo antes de huir? 15. ¿Qué obtuvo el esclavo en premio por el puente?

III. Presente de indicativo de los verbos regulares.

Sustitúyase la raya con la forma conveniente del presente de indicativo del verbo que aparece en tipo grueso:

recibir	Nosotros — a nuestros amigos.
tomar	El puente — el nombre del río.
vadear	Los indios — el río.
necesitar	Se — reparaciones.
buscar	¿ — Vd. sus libros?
contestar	¿ — Vds. al profesor?
aceptar	El hombre — la oferta.
suspender	Ellos — el trabajo.

IV. Traducción.

1. There is a river near the capital of Guatemala which is called "Los Esclavos." 2. They build a bridge because they can not ford the river during the rainy season. 3. From time to time repairs are needed. 4. That rich man has a large number of slaves. 5. One of these calls a friend to his aid. 6. We do not know what he gives him.

LA LEYENDA DE AMELICATL

I. Modismos.

Empléese cada locución en oración original:

al ver	echar a
ayudar a	tratar de
separarse de	de repente
en medio de	de noche
encontrarse	en busca de
hizo alto	rodeado de

II. Preguntas.

1. ¿Quiénes habían incendiado el palacio del cacique Xochitl? 2. ¿Dónde se encontraba oculto con su familia? 3. ¿A quién pedía ocasión para sacudir el yugo del invasor? 4. ¿Por qué hizo alto en Huic-Ozcal un mozo español? 5. ¿Cuál de las hijas del cacique se destacaba por su lindeza? 6. ¿Qué hizo Amelicatl al ver al extranjero? 7. ¿Qué hizo el español tras largo correr? 8. ¿Cómo le habló el joven después de ayudar a levantarse a la niña? 9. ¿A dónde se dirigieron entonces los dos? 10. ¿Por qué se internó Jicahuit en la espesura? 11. ¿Dónde construyeron los dos jóvenes su choza? 12. ¿Qué fatídico lamento oyeron de repente? 13. ¿Por qué tembló de miedo la india? 14. ¿Qué sucedió entonces? 15. ¿Quién había matado a su esposo? 16. ¿Qué le sucedió a Amelicatl?

III. Presente de indicativo de los verbos que cambian la radical.

Sustitúyase la raya con la forma conveniente del presente de indicativo del verbo que aparece en tipo grueso:

encontrar	La niña — a su padre.
pedir	Las mujeres — ayuda a Túnel.
entender	Ellos no — nada.
contar	¿Qué le — Vds.?
temblar	¿Por qué — el indio?
repetir	Yo no lo —.
reírse	Ellas se — de ellos.
herir	Una saeta le —.
recordar	Ahora yo — sus promesas.
enterrar	Los indios los — en dos sepulturas.

IV. Traducción.

1. The Indians are fleeing from the whites. 2. They do not desire to frighten them. 3. We are surrounded by Indian women and children. 4. That slender girl with black hair is beautiful. 5. When she sees the stranger she begins to run. 6. She understands what he is telling her. 7. She loves him and he loves her. 8. The Spaniard hands his weapons to the chief.

LA MUERTE DE LEMPIRA

I. Modismos.

Empléese cada locución en oración original:

cerca de
haber de
a propósito
a pesar de que
se le vió
obligar a uno a
ir a
enviar a
servir de
llevar a cabo
acabar con
dar por nombre
estar resuelto a
tener noticias

II. Preguntas.

1. ¿Qué molestias habían causado los indios de Honduras a los españoles? 2. ¿Cuándo empezaron a sublevarse contra los conquistadores? 3. ¿Cómo se llamaba el cacique que se rebeló? 4. ¿Qué hizo el capitán Alonso de Cáceres al tener noticias de la insurrección? 5. ¿Qué exclamaron los españoles al ver una hermosa llanura? 6. ¿Dónde se hallaba atrincherado el cacique? 7. ¿Qué contestó Lempira a los blancos cuando éstos le mandaron que se rindiera? 8. ¿Por qué no quería aceptar Lempira proposiciones de paz? 9. ¿Qué era el único medio de acabar con la insolencia del cacique, según el lugarteniente español? 10. ¿Qué dispuso éste para llevar a cabo sus planes? 11. ¿Por qué apareció Lempira sin arreos de defensa? 12. ¿Qué fué la respuesta de los españoles a su pregunta? 13. ¿De dónde se le vió caer a Lempira? 14. ¿Qué hicieron los indios después del asesinato de su jefe?

III. Uso del imperfecto de indicativo.

Sustitúyase la raya con la forma conveniente del imperfecto de indicativo del verbo en tipo grueso:

ser	— el primero de junio.
haber	Ellos no — hecho nada.
comenzar	Nosotros — a comprender.
tener	Lempira — más de mil hombres.
formar	Estos — un ejército numeroso.
enviar	¿A quién — Vd. a la ciudad?
buscar	¿Qué — Vds. allí?
erigir	Los blancos — pueblos por todas partes.
hallar	Los indios se — atrincherados allí.
poder	Nosotros no — nada contra ellos.

IV. Traducción.

1. Lempira was a good chieftain. 2. The Spanish soldiers were cruel. 3. The city was to serve the soldiers as a stop-

ping-place. 4. No Indian wanted to rebel against the whites. 5. Captain Alonso de Cáceres was a Spaniard. 6. The Spaniards could not imagine that treachery was cruel. 7. They were going to give themselves up.

EL TESORO RESTITUÍDO

I. Modismos.

Empléese cada locución en oración completa:

en seguida
verse en la necesidad de
de modo que
hacer jurar a uno
al otro lado

apoderarse de
entrar a (*or* en)
tratarse de
en busca de
aprovecharse de

II. Preguntas.

1. ¿En qué año ardía la guerra civil en Nicaragua? 2. ¿A quién llamaron los demócratas en su ayuda? 3. ¿De cuál ciudad se apoderaron por sorpresa los filibusteros? 4. ¿Por qué se vió la gente en la necesidad de huir? 5. ¿Qué tenían que hacer los nicaragüenses con su dinero y sus alhajas? 6. ¿Quién era doña Julia Arellano de Pasos? 7. ¿A quién confió su secreto cuando se vió doña Julia en trance de muerte? 8. ¿Quién se hallaba al otro lado del tabique? 9. ¿Qué discutían los generales en cierta reunión? 10. ¿Qué les dijo el oficial que había oído el secreto de doña Julia? 11. ¿Con qué propósito aceptaron el dinero? 12. ¿Reconoció el gobierno aquella deuda?

III. El pretérito de indicativo de los verbos regulares.

Sustitúyase la raya con la forma conveniente del pretérito del verbo en tipo grueso:

llamar	Yo — al general.
encontrar	¿ — Vd. a su amigo?
entrar	Ella — en la casa.
perder	Vd. y yo no — tiempo.
esconder	¿Dónde — Vd. y su hermano el dinero?
dividir	El tabique — el cuarto en dos.
discutir	El y ella — los planes.
emplear	¿En qué — ellos el dinero?
recoger	¿Para qué — Vd. estos fondos?
hablar	Nosotros — a los soldados.

IV. Los adjetivos y pronombres posesivos.

Tradúzcanse las palabras inglesas en las oraciones siguientes: 1. Estos libros son *mine*. 2. El soldado tiene *his own* dinero. 3. El conoce *her* secreto. 4. ¿Ha recogido Vd. *your* fondos? 5. *Our* general está en el cuarto. 6. Alumnos, ¿han escrito Vds. *your* ejercicios? 7. Ella tiene *my* dinero. 8. Este tesoro es *ours*. 9. No hemos visto a *their* amigos. 10. Este dinero no es *yours*, es *theirs*.

V. Traducción.

1. Doña Julia could not take her money with her. 2. She had to hide the jewels in the garden. 3. They did not accept Walker's government. 4. Why did he steal the jewels and (the) clothing? 5. They resolved to make use of the money.

NUESTRA SEÑORA DE LOS ÁNGELES

I. Modismos.

Empléese cada locución en oración completa:

dentro de	ir a
darse cuenta de	volver a
por todas partes	al día siguiente
por consiguiente	desde . . . hasta
en seguida	al abrir

II. Preguntas.

1. ¿Qué se acostumbraba hacer antiguamente en Costa Rica? 2. ¿Qué servía de lindero entre ambas poblaciones de Cartago? 3. ¿A dónde fué una leñadora un día? 4. ¿Qué encontró sobre una piedra? 5. ¿Dónde guardó la imagen? 6. ¿Qué halló sobre la misma piedra al día siguiente? 7. ¿Qué creyó cuando vió la imagen? 8. ¿Qué vió al abrir la canastilla? 9. ¿Qué sucedió al tercer día? 10. ¿A quién corrió a contar lo que pasaba? 11. ¿Por qué se fué al bosque el cura? 12. ¿Qué encontró éste en la piedra? 13. ¿Qué quería hacerles ver a los blancos la "Negrita"? 14. ¿Qué fiesta se celebra en Costa Rica el dos de agosto? 15. ¿Dónde se levantó la iglesia de la "Negrita"?

III. Ejercicio de vocabulario.

¿Cuáles son los sustantivos que corresponden a los verbos siguientes: acostumbrar, separar, habitar, permitir, asombrar, comenzar, trabajar, ignorar, dudar?

IV. Tiempo perfecto de indicativo.

Sustitúyase la raya con la forma conveniente del perfecto de indicativo del verbo en tipo grueso:

encontrar Yo — — una piedra muy grande.
llevar La mujer — — la imagen a la iglesia.
volver El muchacho y su madre — — al bosque.
abrir Nosotros — — la canastilla.
correr ¿Por qué — — Vds. a la casa?
contar ¿Qué le — — ellos?
estar Ella no — — en la ciudad hoy.
traspasar Su fama — — las fronteras.
expedir El congreso — — un decreto.

V. Uso de los verbos *ser* y *estar*.

Sustitúyase la raya con la forma conveniente del verbo **ser** *o* **estar**: 1. La pobre mujer — en el bosque cuando halló una imagen. 2. Cuando la vió su asombro — grande. 3. Nosotros — en la ciudad esta mañana. 4. Ella — enferma ayer. 5. Los pardos — en una población cercana a Cartago. 6. ¿ — una mulata quien halló la imagen? 7. La piedra — negra. 8. Costa Rica — un país de Centro-América.

VI. Traducción.

1. They have separated the half-breeds from the whites. 2. They have not gone to the mountain to-day. 3. Where have you taken the basket? 4. Did you not find her hut? 5. He has not given the matter much importance. 6. Many days have passed.

CHAGIRA Y NEYE

I. Modismos.

Empléese cada locución en oración completa:

robarle a uno algo
salir a
venir a
acercarse a
todas las tardes
ir . . . a
con destreza
llamarse
muchas veces
a corta distancia

II. Preguntas.

1. ¿Cuántas casas forman el pueblo de Molineca? 2. ¿Dónde está situado ese pueblecito? 3. ¿Qué pueblo se halla a corta distancia? 4. ¿A qué se dedicaban los hombres y las mujeres de Molineca? 5. ¿Cuántos años tenía la bella indiecita? 6. ¿Qué rumores llegaron a oídos del pueblo ribereño? 7. Descríbase a los visitantes. 8. ¿Qué llevaban los blancos consigo? 9. ¿Quién bajaba de Pinogana todas las noches? 10. ¿Cómo le recibía Chagira? 11. ¿Quiénes turbaron la paz de los indios? 12. ¿De qué se apoderaron los atacantes? 13. ¿Qué encontraron los habitantes de Molineca

al día siguiente? 14. ¿Qué cuenta la tradición de la bella indiecita?

III. Ejercicio de vocabulario.

¿Cuáles son los antónimos de: obscuro, triste, hermoso, joven, fácil, tarde, grande, blanco, corto, paz?

IV. Uso de la preposición *a* con el régimen directo.

Sustitúyase la raya con la preposición **a** *si la pide el sentido:* 1. Llamaban — la muchacha Chagira. 2. Ella vió — un mozo apuesto. 3. Los españoles atacaban — los pinoganeros. 4. Encontraron — un pequeño río. 5. — Neye se le ve remontar el río. 6. Vieron — la choza de la indiecita. 7. No hallaron — la india. 8. Vieron — muchos soldados españoles.

V. Verbos irregulares.

Sustitúyase la raya con la forma conveniente del verbo en tipo grueso:

decir 1. Yo — que no. 2. ¿Qué ha — Vd.? 3. El lo — ayer. 4. Nosotros — que ha llegado. 5. ¿Qué — Vds. cuando lo vieron?

oír 1. El no — lo que yo le dije. 2. Ellos — lo que ella les dijo. 3. Yo los — cantar todos los días. 4. ¿Qué ha — Vd.? 5. Nosotros — una voz.

tener 1. Yo — su dinero. 2. ¿Quién — el oro? 3. Ella — que partir ayer. 4. Nosotros — que acompañarla a su casa la semana pasada. 5. El indio — su choza en Molineca.

VI. Traducción.

1. We said that she lived in Pinogana. 2. She heard that the Spaniards had arrived. 3. They did not have time to

flee. 4. She is going to the river to get water. 5. Their conversation lasted two hours.

NUESTRA SEÑORA DE LA CARIDAD DEL COBRE

I. Modismos.

Empléese cada locución en oración completa:

tener miedo	hacer un viaje
todas las noches	en poco tiempo
a causa de	de vuelta
por la noche	así que
a pesar de	a manera de

II. Preguntas.

1. ¿Quién se hallaba entre los jóvenes que acompañaron a Colón en su segundo viaje a América? 2. ¿Qué le dió el obispo a Alonso de Ojeda? 3. ¿Qué hizo Ojeda con la imagen? 4. ¿Cuántos viajes hizo éste a América? 5. ¿Por qué fué a mal la pequeña colonia española? 6. ¿Qué voto hizo a la Virgen el conquistador? 7. ¿Qué hizo Ojeda en la población india a donde llegó? 8. ¿Rindieron los indios culto a la Virgen? 9. ¿Quién llegó al pueblo poco después de haber salido Ojeda? 10. ¿Por qué echó el cacique la imagen en el río? 11. ¿Quiénes la vieron más tarde sobre la cresta de las olas? 12. ¿A quién la llevaron? 13. ¿Qué ardía en el altar de la iglesia que le construyeron? 14. ¿Qué hallaba el sacristán todas las noches? 15. ¿Dónde le levantaron los devotos un hermoso santuario? 16. ¿Por qué se extendió su culto en toda la isla?

III. Futuro y condicional.

Sustitúyase la raya con la forma conveniente del futuro o del condicional del verbo en tipo grueso:

tener	Yo no — tiempo para eso mañana.
decir	¿Qué — Vd. si yo no llego a tiempo?
dar	Ella me prometió que me lo —.
tener	Dijo que no — fondos suficientes.
acompañar	Nosotros la — a su casa.
traer	Le — una imagen mañana.
descubrir	¿Quién ha dicho que ellos — el sendero?
preguntar	Nosotros le — la causa de la desaparición de la imagen.
ofrecer	¿Qué me — Vds. si les digo dónde está el tesoro?
construir	Los indios prometieron que le — un pequeño templo.

IV. Traducción.

1. They will give him a beautiful image. 2. One day he said he would make a vow to the Virgin. 3. According to his vow he will give that image to the Indians. 4. He said he would leave the treasure at the first village at which they would arrive safe and sound. 5. Some one heard that Las Casas would arrive soon. 6. They promised that they would make a pilgrimage to the church.

GENEROSIDAD DE ENRIQUILLO

I. Modismos.

Empléese cada locución en oración completa:

agradecerle algo a uno
tardar en
encontrarse con
de una ojeada
haber de
salir en busca de
acordarse de
acabar con
entrar en
contar con
antes de
cerca de

II. Preguntas.

1. ¿A quiénes obligaron los españoles a trabajar en las minas? 2. ¿Por qué se levantaron los indios? 3. ¿Quién era Enriquillo? 4. ¿Qué decidieron hacer los indígenas después de la muerte de su bienhechor? 5. ¿Qué dijo Enriquillo a los indios? 6. ¿En dónde se hallaron los quisqueyanos al día siguiente? 7. ¿Cómo se preparó el cacique para la venida de los españoles? 8. ¿Quién apareció ante la vista de los españoles? 9. ¿Cómo fué la lucha? 10. ¿Con quién se encontró Valenzuela? 11. ¿Por qué contuvo Enriquillo el brazo del terrible Tamayo? 12. ¿Qué dijo Tamayo al tirano?

III. Pronombres personales complementos.

Sustitúyase cada sustantivo con el pronombre correspondiente (*por ejemplo:* tengo el libro — lo tengo).

1. Vió a los hombres. 2. Yo hablaba a las muchachas. 3. Trajeron la imagen al cura. 4. Quiso ver a la indiecita. 5. El español dió una joya a la niña. 6. Los visitantes hablaron a un mozo.

IV. Empleo de preposiciones.

Sustitúyase la raya con la preposición conveniente: 1. Los hombres no querían dedicarse — sus cultivos. 2. La india no tuvo miedo — los españoles. 3. No tardará — llegar. 4. Las tropas españolas entraron — el pueblo. 5. Salió — la choza — recibir — su esposo.

V. Ejercicio de vocabulario.

¿Cuáles son los sustantivos que corresponden a los adjetivos siguientes: triste, obscuro, hermoso, dulce, loco, inteligente?

VI. Traducción.

1. A sentinel said to him that he had seen them. 2. "Today you find me master of these mountains," he exclaimed. 3. "Why do you want to kill us," asked the Indian? 4.

"They will not remember you," Enriquillo replied to the Indians. 5. The cruelty of the tyrant forced them to leave their homes secretly.

LA GARITA DEL DIABLO

I. Modismos.

Empléese cada locución en oración completa:

acerca de	por eso
así como	a causa de
dejar de	deber de
hace . . . años	de pronto
sobre todo	asomarse a
estar para	ponerse a
dar a	a veces

II. Preguntas.

1. ¿Qué se eleva al extremo de un peñasco que penetra en el mar? 2. ¿Con qué nombre designa la tradición popular esta garita? 3. ¿Para qué fué construída? 4. ¿Qué encontró una noche cuando bajó el cabo de guardia? 5. ¿Qué sucedió cuando se iba olvidando la desaparición del soldado? 6. ¿Quién debió de haber tomado parte en tal escamoteo? 7. ¿Desde cuándo dejaron de poner centinela en aquel sitio? 8. ¿Quién parecía conocer algo más acerca de la garita del diablo? 9. ¿Qué servicio había hecho éste varias veces? 10. ¿Qué quería hacer una noche lluviosa? 11. ¿A dónde fué? 12. ¿Por qué no volvió en seguida a su puesto? 13. ¿En qué había incurrido el centinela? 14. ¿Qué resolución tomó éste? 15. ¿Qué parte tomó el diablo en este asunto?

III. Pronombres personales regidos por una preposición.

Tradúzcanse las palabras inglesas en las oraciones siguientes:
1. Ella saldrá con *me*. 2. Lo he hecho por *thee*. 3. El está

delante de *her*. 4. Estos libros son para *him*. 5. No sabe nada acerca de *me*. 6. Cantaré con *thee*. 7. Repítanlo después de *us*. 8. Llegaremos con *them* (f.). 9. Los hemos traído para *them* (m.). 10. Yo creí que él vendría con *you*.

IV. Verbos que sufren cambios ortográficos.

Sustitúyase la raya con el verbo conveniente que aparece en tipo grueso:

construir	Yo — castillos en el aire.
conducir	Ayer nos — a la garita.
explicar	Cuando le ví le — todo.
tocar	Anoche yo — el piano.
llegar	El — tarde ayer pero yo — temprano.
descolgar	Cuando le ví me — por la orilla del muro.
atribuir	¿A qué — Vd. la desaparición del soldado?
empezar	— Vd. la lección.
comenzar	Cuando ví a mi capitán — a tener miedo.
escoger	— Vd. lo que le gusta.

V. Traducción.

1. The castle of St. Christopher is near San Juan. 2. They told (*referir*) strange things about this sentry-box. 3. Why do they call it the Devil's Sentry-Box? 4. He was about to return to his post when he fixed his gaze upon her. 5. "She did not want to come with me," he said.

EL CONDENADO A MUERTE

I. Modismos.

Empléese cada locución en oración completa:

a las dos	mandar decir
dirigirse a	al día siguiente
ir a	pasar por
dentro de	vestido de

II. Preguntas.

1. ¿Quién había sido condenado a muerte? 2. ¿Qué hizo el sargento cuando habían llegado sus últimas horas? 3. ¿Quién forzó la guardia de Bolívar en estos momentos? 4. ¿Hasta dónde penetró la joven? 5. ¿Por qué cayó ésta a los pies del Libertador? 6. ¿Cómo permanecía Bolívar? 7. ¿Quién llegó a la sala del general a las dos de la mañana? 8. ¿Para qué vino esta joven vestida de negro? 9. ¿Qué sucedió al pie del fuerte la mañana siguiente? 10. ¿Qué hicieron sus camaradas? 11. ¿Quién era el hombre que muchos años después se dirigió a la iglesia seguido de toda su familia? 12. ¿Por qué lloró la muerte del general Bolívar? 13. ¿En qué gastó Bolívar sus riquezas? 14. ¿Con qué objeto físico del continente sudamericano se puede comparar el carácter de Bolívar?

III. Ejercicio de vocabulario.

1. *¿Cuáles son los verbos que corresponden a los sustantivos que siguen:* gobierno, necesidad, grito, duda, salida, cuento?

2. *¿Cuáles son los antónimos de:* vacío, grave, mucho, mediodía, fiel, último, pobre, negro, obscuro, corto?

IV. Pretérito de los verbos que cambian la radical.

Sustitúyase la raya con la forma conveniente del pretérito del verbo que aparece en tipo grueso:

pedir La joven — misericordia a Bolívar.
morir El soldado casi — de miedo.
dormir Aquella noche los niños no —.
cerrar El hombre y sus hijos — todas las ventanas.
vestir ¿Por qué se — de luto la familia del soldado?
volver Ellos nunca — a Caracas.
seguir La mujer y sus hijos — al general.
sentir Ellos — mucho la muerte de su bienhechor.
contar ¿Qué le — sus amigos al hombre?
perder Dijeron que no — nada.

V. Traducción.

1. The sergeant who had been condemned to death was praying. 2. That young girl dressed in black was his sweetheart. 3. She said that their marriage could not take place that day. 4. Why was the officer following her? 5. The richest man in South America had given all his wealth for the cause of his country.

UNA HEROÍNA COLOMBIANA

I. Modismos.

Empléese cada modismo en oración completa:

soñar con	en frente de
en todas partes	por consiguiente
contar . . . años	verse obligado a
a medias	hacer *or* mandar hacer (una cosa)
llegar a ser	a través de

II. Preguntas.

1. ¿Con qué soñaban los pensadores de la América del Sur? 2. ¿En qué año estalló la revolución? 3. ¿Dónde hubo alzamientos contra la metrópoli? 4. ¿Quién era Fernando VII? 5. ¿Para qué envió a América a Pablo Morillo? 6. ¿Cuántos soldados tenía éste? 7. ¿A quién tuvo que dejar el mando de Bogotá? 8. ¿Cuántos años tenía la Pola? 9. ¿Quién la amaba? 10. ¿Por qué se unió el joven a los republicanos? 11. ¿Por qué encarcelaron a la Pola? 12. ¿Cómo le contestó ésta a Sámano? 13. ¿Qué les sucedió a la Pola y a Savaráin?

III. Ejercicio de vocabulario.

¿Cuáles son los sustantivos que corresponden a los verbos que siguen: proclamar, establecer, cazar, luchar, entrar, perdonar, unir, contestar, preguntar?

IV. Los tiempos progresivos.

Sustitúyase el verbo subrayado con la forma progresiva de dicho verbo (*ejemplos:* estoy hablando, estaba cantando): 1. Proclamaban su separación cuando llegó el enemigo. 2. Sueñan con sacudir el yugo de la dominación extranjera. 3. Envía a su general más hábil. 4. Llegaban muchos soldados todos los días. 5. Los revolucionarios vencen en casi todas las contiendas. 6. Oyen lo que les dice su general. 7. Le seguían por todas partes. 8. Leo lo que la Pola escribió a su novio.

V. La voz pasiva.

Sustitúyase el verbo de cada oración con la forma pasiva (*ejemplo:* fué visto): 1. Los países del Nuevo Mundo *proclamaron* su separación. 2. *Implantaron* un régimen de libertad y progreso. 3. *Escribió* la carta en español. 4. *Sofocaron* la rebelión. 5. El rey *envía* a Morillo al Nuevo Mundo. 6. Los revolucionarios *habían vencido* a los españoles. 7. No *habían conseguido* la victoria. 8. *Erigieron* muchos patíbulos.

VI. Verbos irregulares: *poner*, *venir*, *salir*.

Empléense estos verbos en oraciones originales en todos los tiempos de indicativo.

LA LEYENDA DE GUAYAQUIL

I. Modismos.

Empléese cada locución en oración completa:

echarse a
alejarse de
para siempre
reunirse con
fijarse en
acercarse a
faltar . . . para
hallarse

II. Preguntas.

1. ¿Quién era Guayas? 2. ¿Quiénes llegaron a su país? 3. ¿Qué le dijo el *chasqui* una noche? 4. ¿A dónde pensaban huirse? 5. ¿Por qué no abordó Guayas la piragua? 6. ¿Qué le pidieron los españoles? 7. ¿Por qué le desataron? 8. ¿Qué hizo el indio con el puñal que le dieron los blancos? 9. ¿Dónde aparecieron muchos indios después de mucho tiempo? 10. ¿Para qué se acercaron al *bohío* en ruinas? 11. ¿Qué le dijo el hombre de alta estatura? 12. ¿Qué había jurado Guayas a su padre el Sol? 13. ¿A qué grito se despertaron los blancos? 15. ¿Cuántos españoles se salvaron?

III. Empleo de preposición.

Sustitúyase la raya con la preposición conveniente:

1. El capitán vió a la linda española vestida — blanco. 2. Sueña — la gloria. 3. Hemos — llegar temprano. 4. Fué — hablar con ella en seguida. 5. Se puso — luchar. 6. No tiene tiempo — hacerlo ahora.

IV. Pronombres personales complementos.

Sustitúyase con el pronombre correspondiente las palabras subrayadas: 1. El me refiere la leyenda. 2. Te daré mis libros. 3. Nos darán plumas. 4. Veo un árbol. 5. El dijo que daría el tesoro a su amigo. 6. Le incendiaron el bohío. 7. Le robaron a su esposa.

V. Verbo irregular: *hacer.*

(a) *Empléese este verbo en oraciones originales en todos los tiempos de indicativo,*

(b) *Sustitúyase la raya con la forma conveniente del verbo* ***hacer:*** 1. Yo — escribir las traducciones a los alumnos. 2. — dos años que estamos aquí. 3. — una semana mañana que llegué a esta ciudad. 4. — dos días que había llegado cuando fuimos a verle. 5. El indio — construir una choza. 6. Nosotros — venir al médico mañana. 7. Hoy me he — hacer un traje nuevo. 8. El año próximo nosotros — construir una casa nueva. 9. Me dijo que — venir al médico.

VI. Traducción.

1. Guayas and Kill lived in Ecuador. 2. The messenger came to tell them that the enemy had arrived. 3. He preferred to see Kill dead. 4. "The whites will kill you," he exclaimed. 5. After many days, the night of revenge came. 6. He hurled himself into the abyss.

EL SALTO DEL FRAILE

I. Modismos.

Empléese cada locución en oración completa:

hace . . . años	para siempre
contar con	llamarse
de pie	en vez de
al llegar	sobre todo

II. Preguntas.

1. ¿Qué tipo de hombre era el marqués? 2. ¿Cuántas hijas tenía? 3. ¿Con qué soñaba el marqués cuando la miraba? 4. ¿Hasta qué punto aumentó el cariño de los dos niños? 5. ¿En qué había pensado Mauricio? 6. ¿Qué le impuso el marqués a Luisa cuando la casualidad le puso de manifiesto su amor? 7. ¿En dónde se encerró Mauricio? 8. ¿Por qué era imposible continuar la correspondencia? 9. ¿Qué le dijo a Luisa en su última carta? 10. ¿Estaba seguro de su triunfo el marqués? 11. ¿De dónde se arrojó Mauricio? 12. ¿Qué hizo Luisa? 13. ¿Qué nombre tomó el Morro Solar desde aquel día?

III. Ejercicio de vocabulario.

1. *¿Cuáles son los adjetivos que corresponden a los sustantivos siguientes:* silencio, desgracia, utilidad, lindeza, ternura, muerte?

2. *¿Cuáles son los sinónimos de:* se encontraba, menudo, breve, hermoso, ambos, fugarse?

IV. Uso del infinitivo regido por una preposición.

Tradúzcanse las palabras inglesas al español: 1. Pensaba *of writing* una carta a su amigo. 2. Partió *after having seen* a su padre. 3. Dió gracias a su amigo *for having given* la carta a Mauricio. 4. *On seeing him,* Luisa se puso a llorar. 5. La separación de los dos amantes aumentaba *instead of diminishing* su amor. 6. Lo hizo *without thinking.*

V. Verbos irregulares: *poder, saber, ver.*

Empléense estos verbos en oraciones originales en todos los tiempos de indicativo.

VI. Traducción.

1. Centuries would not modify the ideas of the marquis. 2. Some day she, too, will dream of a brilliant wedding. 3. They will not think of flight. 4. She found out that a ship would be leaving soon. 5. "I will have to go on that ship," she wrote him. 6. His last letter says that he will not be able to live without her.

LOS COLORADOS

I. Modismos.

Empléese cada locución en oración completa:

con ignominia	dotado de
unirse a	a consecuencia de
de pronto	como de
ponerse de pie	caber . . . a uno

II. Preguntas.

1. ¿Con cuál país tenía Bolivia tratados de alianza? 2. ¿Cuántos hombres contaba el ejército boliviano? 3. ¿Contra quién se emprendió la guerra? 4. ¿Cuál era el pretexto de aquella guerra? 5. ¿Cómo la llama la historia? 6. ¿Para cuáles fuerzas fué desastrosa la guerra? 7. ¿Qué perdió Bolivia a consecuencia de la paz de 1884? 8. ¿Quiénes ganaron fama imperecedera en aquella guerra? 9. ¿De cuántos hombres constaba este batallón? 10. ¿Quién lo mandaba? 11. ¿Cuándo se notaba un claro en sus filas? 12. ¿Cuántos de los Colorados aparecieron cuando el corneta tocó retirada? 13. ¿Cuántos de ellos fueron prisioneros? 14. ¿Cómo habían caído los Colorados? 15. ¿Quién era el duque de Alba?

III. Ejercicio de vocabulario.

¿Cuáles son los sustantivos que corresponden a los adjetivos siguientes: humilde, rica, débil, sencillo, pálido, fresco, lluvioso, ruinoso?

IV. Verbos reflexivos.

(a) *Sustitúyase la raya con la forma conveniente del presente de indicativo del verbo reflexivo en tipo grueso:*

ponerse Cuando el profesor me llama — — de pie.
acercarse El soldado — — al general cuando éste le llamó.
acordarse Nosotros no — — del hecho.
vestirse Los niños — — de prisa.
acostarse ¿Por qué no — — temprano?
atreverse Yo no — — a hacerlo.
levantarse ¿A qué hora — — Vds.?
sentarse Ella — — a la mesa.

(b) *Pónganse las mismas oraciones en el imperfecto de indicativo.*

(c) *Pónganse las mismas oraciones en el pretérito de indicativo.*

V. Traducción.

1. The Bolivian army consists of only 7,000 men. 2. The soldier is almost six feet tall. 3. They follow their leader like phantom soldiers. 4. Each battalion has more than 100 men. 5. Did 500 or 700 men die in battle on the first of June?

EL SALTO DEL SOLDADO

I. Modismos.

Empléese cada locución en oración completa:

en socorro de
dar caza a
a todo trance
haber que
desde entonces
en todas partes
al amanecer
de cerca
a lo lejos
pensar en
a pocos pasos
perder de vista

II. Preguntas.

1. ¿Quién era el inmortal caudillo de Rancagua? 2. ¿Por que no acudió José Miguel Carrera en socorro de la plaza? 3. ¿Qué rendían a los que habían escapado a las balas del enemigo? 4. ¿Qué le aconsejaba a O'Higgins su deber? 5. ¿Cómo salvó a los soldados? 6. ¿Qué sintió el soldado herido cuando vió al moribundo sosteniendo entre sus manos el pabellón nacional? 7. ¿Qué hizo al oír resonar los gritos de triunfo? 8. ¿Por qué dió caza el enemigo a este hombre que huía? 9. ¿En dónde se perdió el soldado chileno? 10. ¿A dónde llegó al fin? 11. ¿Qué gritó el jefe de los perseguidores? 12. ¿Por qué fué grande el asombro de los realistas al llegar a la cortadura? 13. ¿Con qué nombre se conoce aquel sitio desde entonces?

III. Ejercicio de vocabulario.

¿Cuáles son los verbos que corresponden a los sustantivos siguientes: salto, nombre, construcción, vuelo, descuido,

sufrimiento, defensa, choque, tratado, impuesto, fuerza, combate?

IV. Verbos irregulares: *querer*, *traer*, *dar*.

Empléense estos verbos en oraciones originales en todos los tiempos de indicativo.

V. Mandos.

(a) *Sustitúyase la raya con la forma conveniente del presente de subjuntivo de los verbos en tipo grueso:*

hablar	— Vd. al capitán.
perder	No — Vds. las cartas.
escribir	— Vd. a su padre.
poner	— lo Vd. en la mesa.
decir	No se lo — Vds.
oír	— me Vd.
pagar	— le Vd. lo que le debe.
tocar	— Vds. el piano.

(b) *Pónganse en forma negativa:* 1. Entréguele Vd. la carta. 2. Díganme Vds. lo que debo hacer. 3. Váyase Vd. a casa. 4. Acuéstense Vds. temprano. 5. Démelo Vd. 6. Vístase Vd. en seguida.

(c) *Pónganse en forma afirmativa:* 1. No le hable Vd. ahora. 2. No me lo diga Vd. 3. No se lo entregue a él. 4. No se acerquen Vds. a la mesa. 5. No salga Vd. por la puerta.

VI. Pronombres complementos.

Sustitúyase cada sustantivo con el pronombre correspondiente: 1. Prefiero dar *la lección al alumno* ahora. 2. Entregué *la carta al general.* 3. No refirió *el hecho a su capitán.* 4. Quiero decir *la verdad a mis padres.* 5. ¿Quién ha escrito *las cartas a mis hermanas*? 6. No me traiga Vd. *los papeles* ahora.

LA TRADICIÓN DE LUCÍA MIRANDA

I. Modismos.

Empléese cada locución en oración completa:

al parecer
tardar en
ponerse a
a causa de
echarse a
tropezar con
en lugar de
no . . . más que

II. Preguntas.

1. ¿Quién era Sebastián Caboto? 2. ¿Qué fuerte fundó? 3. ¿De cuántos hombres se componía la guarnición? 4. ¿Cómo se llamaba el cacique de los timbúes? 5. ¿Por qué quería el cacique apoderarse de Lucía Miranda? 6. ¿Para qué salió el capitán del fuerte con cincuenta de los suyos? 7. ¿Qué hizo Mangora entonces? 8. ¿Qué sucedió aquella noche? 9. ¿Quiénes escaparon con vida? 10. ¿Por qué se arrojó Siripo a los pies de Lucía? 11. ¿Aceptó ésta la proposición del cacique? 12. ¿Qué hallaron los españoles cuando volvieron al fuerte? 13. ¿Qué hizo el esposo de Lucía? 14. ¿Por qué fué decretada su muerte? 15. ¿Por qué rechazaron los dos la proposición del indio?

III. Ejercicio de vocabulario.

¿Cuáles son los adjetivos que corresponden a los sustantivos siguientes: verdad, religión, milagro, lástima, orgullo, leyenda, celos, ferocidad, armonía, belleza, diligencia, horror?

IV. Presente de subjuntivo.

Sustitúyase el infinitivo con la forma conveniente del presente de subjuntivo del verbo subrayado: 1. Le ruego que me ayudar. 2. Esperarán hasta que llegar los soldados. 3. No creemos que estar todavía en la ciudad. 4. Siente que le haber robado los planes. 5. Dudan que el enemigo lo saber. 6. Tememos que ellos no lo haber hecho. 7. Es inútil que Vds. lo hacer. 8. Acaso no ser posible que él se lo decir. 9. Es preciso que ellos lo hacer hoy. 10. No hay hombre aquí que lo tener. 11. Hágalo cuando Vd. querer. 12. Se lo digo para que Vd. lo saber. 13. Saldrá mañana aunque llover. 14. Le escribiremos en cuanto llegar a la ciudad. 15. Quédese Vd. aquí hasta que sus padres volver. 16. El soldado corre sin que le ver los enemigos.

V. Traducción.

1. The Spaniards desire the Indians to be their friends. 2. "Wait for me until I return," said the Spaniard to his wife. 3. Even though he may fall into the hands of the Indians he will search for Lucía. 4. Siripo wants the Indians to kill his rival at once. 5. Lucía, casting herself at his feet, asks him to save her husband. 6. It is not possible for them to escape without his knowing it. 7. Since she would not accept his proposition, he orders her to be burned alive. 8. He is the most detestable Indian that ever lived.

TABARÉ

I. Modismos.

Empléese cada locución en oración completa:

a veces	darse cuenta de
al mando de	hacer mal a uno
por allí	volver en sí
inculpar a uno de	enamorarse de
hacerse cargo de	volver a

II. Preguntas.

1. ¿Quién era la madre de Tabaré? 2. ¿Cómo se crió este indio? 3. ¿Qué recuerdos tenía de su madre? 4. ¿De quién se enamoró Tabaré? 5. ¿Le correspondió la hermosa es-

pañola? 6. ¿Por qué se le dió la libertad? 7. ¿Qué supo Tabaré al volver a sus bosques? 8. ¿Qué quería hacer Yamandú? 9. ¿Quién mató a Yamandú? 10. ¿Por qué le inculpó la española a Tabaré de haberla robado? 11. ¿Dónde sorprendió don Gonzalo a Tabaré? 12. ¿Qué pensó aquél cuando vió al indio con su hermana? 13. ¿Cuándo se hizo cargo la española de cuanto había ocurrido? 14. ¿Cómo había amado a doña Blanca el pobre indio? 15. ¿Cómo murió Tabaré?

III. Ejercicio de vocabulario.

¿Cuáles son los sustantivos que corresponden a los verbos siguientes: hallar, esperar, matar, pensar, salvar, presenciar, caer, morir, volver, llegar, mirar, sorprender?

IV. Pretérito de subjuntivo.

Sustitúyase el infinitivo con la forma conveniente del pretérito de subjuntivo del verbo subrayado: 1. Le dijo a ella que lo hacer. 2. Tabaré la amaba como si él ser un blanco. 3. Don Gonzalo temía que el indio matar a su hermana. 4. Sintió que no haber comprendido el amor de Tabaré antes de que le matar. 5. El indio había rogado a Doña Blanca que le amar. 6. Era preciso que lo hacer en aquel instante. 7. No hubo hombre allí que se lo decir. 8. El indio corrió sin que le ver los blancos.

V. Condiciones.

Tradúzcanse las palabras inglesas en las oraciones siguientes: 1. Si el indio *sees* a la mujer blanca, *he will fall in love* de ella. 2. Si Doña Blanca le *will see*, *she will have* piedad por él. 3. Si Tabaré *had not left* su selva, *he would have known* que el viejo cacique había muerto. 4. Si Yamandú *had not been* enemigo mortal de los blancos, *he would not have attacked* la fortaleza española. 5. Si Doña Blanca le *would pardon*, el indio *would return* a su selva.

VI. Traducción.

1. Doña Blanca was sorry that the Indian was sad. 2. Tabaré followed Yamandú so that he (the latter) could not kill the white woman. 3. Don González did not want his sister to go with the Indian. 4. If I had known that Tabaré had not stolen you, I would have set him free. 5. If the girl sees her brother, she will tell him that she loves Tabaré. 6. If he knew that the Indians were coming, he would not leave the fort.

LA MUERTE DESVIADA

I. Modismos.

Empléese cada locución en oración completa:

acababa de
a toda costa
frente a
cada vez
día y noche
por encima de
a consecuencia de
junto a

II. Preguntas.

1. ¿Qué fué la causa de la guerra entre el Paraguay y los países de la Triple Alianza? 2. ¿Cuáles países formaban la Triple Alianza? 3. ¿Quién era Solano López? 4. ¿Cómo pudo conservar su independencia el Paraguay? 5. ¿Cuántos años tenía Carlos Melgarejo? 6. ¿Con qué se inflamaba el alma de este niño? 7. ¿Para qué trabajaban las tropas día y noche? 8. ¿Dónde estaba Carlos el día de Curupaití? 9. ¿Qué escucharon de pronto los soldados? 10. ¿Dónde cayó una bomba enemiga en el bombardeo? 11. ¿Quién cayó de un salto sobre el proyectil? 12. ¿Cómo murió el último héroe de la heroica familia de los Melgarejo?

III. Ejercicio de vocabulario.

¿Cuáles son los sustantivos que corresponden a los adjetivos siguientes: sereno, próximo, alegre, seguro, profundo, fiero?

IV. Los pronombres y adjetivos indefinidos.

Póngase en forma negativa: 1. Alguien está aquí. 2. Quiero algo que comer. 3. ¿Conoce el hombre alguien aquí? 4. Alguno de mis amigos lo hará. 5. ¿Tiene Vd. algún libro?

V. Empleo de preposiciones.

Sustitúyase la raya con la preposición conveniente: 1. Se asomó — la puerta, cubierto — polvo. 2. No estoy — acuerdo — Vd. 3. ¿ — quién tropezó su hermano? 4. El blanco está enamorado — la indiecita. 5. No piensa — estudiar ahora.

VI. Traducción.

1. No one knows the cause of the war between Paraguay and the allied countries of Brazil, Uruguay and Argentina. 2. The soldier saw no one and no one saw him. 3. Carlos told the general that none of his relatives was living. 4. They thought that Paraguay would never be conquered. 5. No soldier thought of abandoning his task. 6. They had never heard such sounds. 7. No one saw the bomb fall near the general. 8. The soldiers will never forget the tragic death of that little hero.

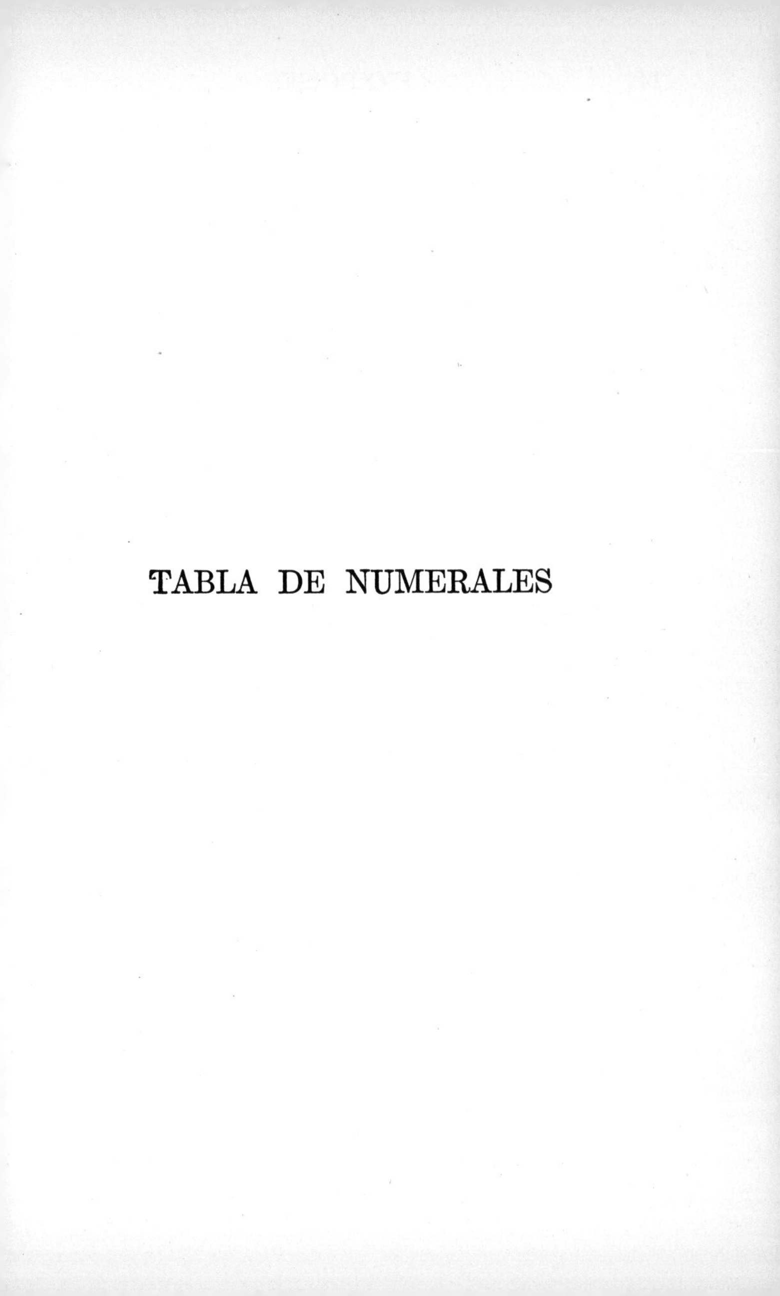

TABLA DE NUMERALES

TABLA DE NUMERALES

CARDINALES

1	**un(o), una**	*21*	**veinte y un(o) -a**	*400*	**cuatrocientos -as**
2	**dos**	*22*	**veinte y dos**	*500*	**quinientos -as**
3	**tres**	*30*	**treinta**	*600*	**seiscientos -as**
4	**cuatro**	*31*	**treinta y un(o) -a**	*700*	**setecientos -as**
5	**cinco**	*32*	**treinta y dos**	*800*	**ochocientos -as**
6	**seis**	*40*	**cuarenta**	*900*	**novecientos -as**
7	**siete**	*50*	**cincuenta**	*1000*	**mil**
8	**ocho**	*60*	**sesenta**	*1492*	**mil cuatrocientos noventa y dos**
9	**nueve**	*70*	**setenta**	*2000*	**dos mil**
10	**diez**	*80*	**ochenta**	*100,000*	**cien mil**
11	**once**	*90*	**noventa**	*200,000*	**doscientos -as mil**
12	**doce**	*100*	**cien(to)**	*1,000,000*	**un millón**
13	**trece**	*101*	**ciento un(o) -a**	*2,000,000*	**dos millones**
14	**catorce**	*102*	**ciento dos**		
15	**quince**	*122*	**ciento veinte y dos**		
16	**diez y seis**	*200*	**doscientos -as**		
17	**diez y siete**	*300*	**trescientos -as**		
18	**diez y ocho**				
19	**diez y nueve**				
20	**veinte**				

ORDINALES

(NOTE: The ordinals are used only up to **décimo** to specify the century or to indicate the order of succession of sovereigns. After **décimo** the cardinals are used: **el siglo diez y siete,** 'the seventeenth century'; **Felipe segundo,** 'Philip the Second'; **Alfonso trece,** 'Alfonso the Thirteenth.')

1st	**primer(o) -a**	*4th*	**cuarto -a**	*8th*	**octavo -a**
2d	**segundo -a**	*5th*	**quinto -a**	*9th*	**noveno -a**
3d	**tercer(o) -a**	*6th*	**sexto -a**	*10th*	**décimo -a**
		7th	**séptimo -a**		

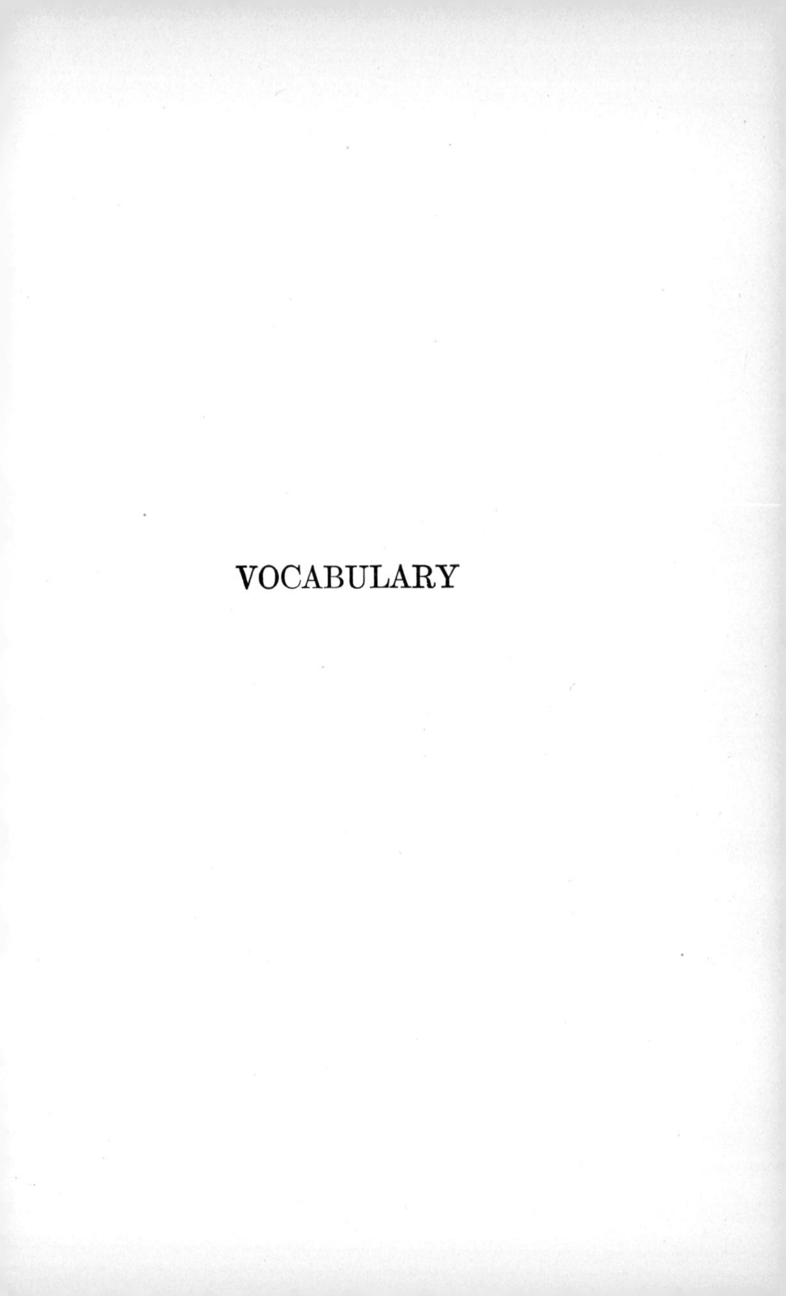

VOCABULARY

VOCABULARY

A

a to, at, for, by, from, on, in, under; *sign of personal direct object; used to distinguish direct object from subject when the former precedes*
abajo down; . . . — down the . . .
abanderado standard-bearer
abandonado -a abandoned, deserted; neglected
abandonar to abandon, forsake; neglect; leave, desert; give up
abandono abandon, abandonment
abanico fan
abarcar to comprise, embrace
abatido -a discouraged, dejected
abdicación abdication
abdicar to abdicate
abierto -a (*past part. of* **abrir**) open, opened
abismo abyss, chasm, pit
abnegado -a unselfish
abogado lawyer
abolengo ancestry
abordar to board, get on *or* into
aborrecido -a hated, despised
abrazar to hug, embrace; **—se** to hug, embrace
abrazo embrace, hug
abrid *impve. pl. of* **abrir**
abrigo shelter, cover; protection; **al —** under cover
abril April
abrir to open, lay open; **— el combate** to commence the fight; **—se paso (camino)** to open *or* make one's way
abrumador -a overwhelming
absoluto -a absolute
absorto -a absorbed (*in thought*), entranced
abuelo grandfather; **—s** grandparents
abundante abundant
acá here, hither
acabar to finish; **— con** to finish, destroy, put an end to; **—de** + *inf.* to have just + *past part.;* **—se** to end, come to an end
acariciar to caress; cherish
acaso perchance
acaudillar to command
acción action
acedía bitterness, pang
acendrado -a pure
acento accent, tone, sound; word
aceptar to accept
acerca de about, concerning, in regard to
acercarse (a) to approach, draw near, come near; **se le acercó** (he) drew near (him)
aclaratorio -a explanatory
acogida reception; lodging; **dar — a** to receive
acometer to attack
acometido -a attacked
acompañado -a (de) followed (by), in company with

acompañar to accompany, go with
acompasado -a rhythmic; regular
acongojar to oppress, afflict
aconsejar to advise, counsel
acontecer to happen; **aconteció** (there) happened
acordarse (de) to remember
acosado -a pursued
acostarse to go to bed, retire
acostumbrar to be accustomed, be in the habit of, be wont; **—se** to be the custom; **se acostumbraba** it was the custom
acrecentar to increase
acreciente *see* **acrecentar**
acribillar to pierce, riddle
actividad activity, action
actual present
actualmente at the present time
acuchillar to put to the sword
acuarela aquarelle (*a descriptive poem which is supposed to imitate a painting or sketch in water colors*)
acuartelado -a quartered (*of troops*)
acudir to approach, come up, hasten, rush (up); **— en socorro** *or* **ayuda** to come to the aid
acuérdate *impve. of* **acordarse**
acuerdo agreement; **de — con** in agreement with
adelantar to advance; **—se** to advance
adelante forward, ahead; **¡ — !** go ahead! go on!; **en —** henceforth
ademán gesture, manner
además moreover, besides
adentro within; **tierra —** inland
adiós farewell, goodbye; **darse el —** to take leave (of each other), say goodbye; **darse el — supremo** to bid a last farewell, say goodbye forever
adivinar to guess
administrador superintendent, manager; administrator
admirable admirable
admiración admiration; wonder
admirar to admire; wonder
adoptar to adopt; accept; take up
adorable adorable
adorado -a adored, loved, beloved
adorar to adore, love, worship; **para que la adorasen . . .** for . . . to worship her
adormecido -a drowsy, sleepy
adornar to adorn
adquirir to acquire, get
adusto -a sullen, gloomy, melancholy
advenimiento coming
adversario adversary, opponent
advertir to notice; **—se** to be noticed
afán anxiety, care
afanarse to persist
afecto affection, love
afianzarse (en) to cling (to)
afilado -a sharp, filed
afligido -a sad, afflicted
afligir to afflict, grieve
aflijas *see* **afligir**
afortunado -a fortunate
afuera outside, out
afueras outskirts
ágil graceful, slender
agitación agitation, commotion, excitement
agitar to stir, shake; wave; **—se** to stir, be uneasy

agonía agony, suffering
agonizar to die
agosto August
agradecer to be grateful *or* thankful (for); **que hemos de —** for which we shall be thankful
agua water
aguardar to wait (for), await, expect
aguardiente brandy
agudeza wit; grace
agudo -a acute, sharp, shrill
agüero omen; **mal —** ill omen
agujero hole
¡ah! ah
ahí there; **de —** from there, from it
ahogado -a stifled, smothered
ahogar to stifle, smother, repress
ahora now
ahorrar to savc
ahuehuete *a Mexican tree, like the cypress*
ahuyentar to drive away, ward off
aire air
ajusticiar to execute, put to death
al = a + el to the; **—** *with inf.* on *with Eng. pres. part., as* **al verle** on seeing him, when he saw him; **— que** (*pron.*) to him who
ala wing
alarma alarm
alarmarse to become alarmed
alba dawn
albañil mason
albergue shelter
albura whiteness; (*poet.*) comfort
alcanzar to get, obtain; reach, overtake, pursue; **— de lleno** to strike a full blow
alcoba bedroom
aldea village
alegre merry, happy, joyful
alegría joy, happiness
alejarse to move away, move farther and farther away; leave
aleteo flapping (*of wings*); **con —s de mainumbí** as graceful as a humming-bird
aleve treacherous
algo something, anything; a little; (*adv.*) somewhat
alguien someone, anyone
algún *short form of* **alguno**
alguno -a some, any; **—s** some, any, a few; (*pron.*) someone, anyone; some
alhaja jewel, piece of jewelry
aliado -a allied; (*noun*) ally
alianza alliance
aliar to ally
aliento breath; spirit; courage; **sin —** breathless, out of breath
alimentar to nourish, feed
alma soul, heart; **— guiadora** guiding spirit
almendro almond-tree
alondra lark
altar altar
altísimo -a very high, very lofty, extremely high
altivo -a proud, haughty; lofty
alto -a high, tall; lofty; (*noun*) height; **de —** in height, high; **hacer —** to halt, stop
altura height, summit
alucinación hallucination
alumbrar to light, illuminate
alzamiento uprising
alzar to raise, lift, hoist; **— el vuelo** to soar in flight; **—se** to rise

allá there, over there; **por —** there, over there; **— en los primeros años** back in the first years
allí there; **— mismo** right there, then and there, in that very spot; **por —** thereabouts
ama mistress; **— de leche** wet-nurse
amado -a beloved, loved (one); **bien —** dearly beloved
amanecer to dawn; (*noun*) dawn; **al —** at dawn
amante loving; (*noun*) lover
amar to love
amargura bitterness, sorrow, woe
ambición ambition
ambiente surroundings, atmosphere
ambos -as both, the two
amedrentado -a frightened
amedrentar to frighten
amenazar to threaten
ameno -a cheerful, pleasant
América America, Spanish America; **la — Central** Central America; **la — del Norte** North America; **la — del Sur** South America; **la — española** Spanish America
americanismo Americanism, Spanish American term
americano -a American, Spanish American
amigo friend
amistad friendship
amo master
amor love; **—es** love, love affairs, amours; **— propio** conceit, selfishness; **de — propio** selfish
amorío love, love affair; (*pl.*) love affair
amoroso -a loving, amorous
amortizar to liquidate
amparar to protect
amplio -a spacious
anagrama anagram (*the change of a word or phrase into another, as* tip—pit)
análago -a similar
ancla anchor
ancho -a broad, wide; large
andaluces *pl. of* **andaluz**
Andalucía Andalusia (*an historical division of southern Spain*)
andaluz Andalusian
andar to go, move, pass
Andes Andes
andino -a Andean, of the Andes
anécdota anecdote, story
ángel angel
angustia anguish, affliction, pang
anhelado -a desired
anhelar to desire
anhelo desire
animado -a animated, encouraged
ánimo spirit, mind
animosamente courageously, spiritedly
animoso -a courageous, spirited
anochecer nightfall, dusk; **al —** at nightfall, at dusk
ansia anguish, anxiety, longing
ansiedad anxiety; **con —** anxiously
ansioso -a anxious, worried
aniquilar to annihilate, destroy
ante before
antepasados ancestors
anterior former, preceding
anteriormente formerly, before
antes before; **— de** before; **— (de) que** before

antiguamente formerly; in olden times
antiguo -a old, ancient
antillano- a Antillean, of the Antilles; Caribbean
Antillas Antilles; **Mar de las —** Caribbean Sea
antónimo antonym (*a word opposed to another in meaning*)
añadir to add
año year; (**allí**) **por los — de . . .** in *or* about the year . . .
apacible peaceful, gentle
apagado -a hushed; silenced; extinguished; weak
apagar to extinguish, put out
aparecer to appear; **se le apareció** there appeared before him
aparentemente seemingly
aparición apparition
apariencia appearance
apegado -a attached
apelar to resort
apellidar to call; proclaim
apenas scarcely; as soon as
apetecer to desire, long for
apiñar to cluster around
aplicar to apply
apoderarse (**de**) to take possession (of), take, seize
apóstol apostle
apoyado -a resting
aprender to learn
aprestarse a to make ready for, prepare for
apresurar to hasten; **—se** to hasten
apretar to tighten
aprisionar to imprison, confine
aprovecharse (**de**) to take advantage (of), profit (by), make use (of)
apuesto -a handsome
apuro straits; want
aquel, aquella, aquello that; **aquél,** *etc.* that one, the former, *etc.; pl.* those
aquí here; **por —** here, hereabouts; **— tienes** here is
arado plow
Aragón Aragon (*region in northeastern Spain*)
araña spider
árbol tree
arcabuz harquebus, gun
arcaico -a archaic
arco arch
arder to burn; rage (*of war*)
ardiente ardent, fiery, burning, glowing, hot
ardor great heat
Argentina Argentina (*in area, the largest Spanish-speaking country in the world. Its capital, Buenos Aires, with 2,153,200 inhabitants, is the second largest Latin city in the world. The country is noted especially for its agriculture and stock. Area 1,153,418 sq. mi.; pop. 11,441,964*)
argentino, -a Argentine, Argentinian
aridez barrenness, unproductiveness
arista silk (*of corn*)
arma weapon, arm; **— de fuego** fire-arm; **—s** arms, armor, coat of arms; **poner sobre las —s** to put under arms, call to arms; **sala de —s** armory; **pasar por las —s** to execute, shoot
armado -a (**de**) armed (with); **mal —** poorly armed *or* equipped
armadura armor

armar to arm
armonía harmony, music, melody
armonioso -a harmonious, pleasing
aroma perfume, fragrance, scent
arquitecto architect
arrabal settlement
arrancar to wrest, tear away, tear out, pluck, snatch away
arrastrar to drag, drag along, carry along
arreos arms, trappings
arrepentirse to repent
arrepintió *see* **arrepentirse**
arriba above, over, up; **allá —** up there
arrobador -a enrapturing
arrogante spirited, haughty
arrojar to hurl, throw, throw out, cast, shed; **—se** to throw one's self, rush
arrollar to rout
arroyo stream, current
arrullado -a lulled (*to sleep*)
arrullador -a cooing, lulling
arte art; **mala —** black art, witchcraft, magic
articular to utter, speak
artífice artisan
artillería artillery
asaeteado -a killed with arrows; **morir —** to be killed with arrows
asaltante assailant, attacker
asaltar to assault, attack, besiege; come over
asalto assault, attack
asediado -a beset
asegurar to assure; secure; **— bajo llave** to put under lock and key
asesinar to assassinate, murder
asesinato murder
asesino assassin
así thus, in this *or* that way, so, in this manner, like that; **— como** just as, as well as, as also; **— que** as soon as; **— . . . como** both . . . and
asir to seize, grasp
asomar to appear; **—se a** to show one's self at, look in, peep in
asombrado -a astonished
asombro astonishment, surprise
aspecto aspect, appearance
áspero -a rough, harsh, bitter
astro heavenly body, orb
astucia craft, cunning, slyness
astuto -a crafty, cunning, sly
Asunción Asunción (*the capital of Paraguay*)
asunto matter, affair
asustar to frighten
atacante attacker
atacar to attack
atado -a bound; **— de pies y manos** bound hand and foot
ataque attack
atar to bind, tie
atención attention; **llamar la —** to attract attention
aterrado -a frightened
aterrorizado -a frightened
atestiguar to attest
atlético -a athletic
atractivo attractiveness
atraer to attract
atrajo *see* **atraer**
atrás back, behind; **tiempo —** some time before
atravesar to cross, pierce
atraviesa *see* **atravesar**
atrayendo *see* **atraer**
atrayente attractive
atrever to dare; **—se (a)** to dare, venture

atrevido -a bold, daring
atrevimiento boldness, daring
atribuir to attribute
atribuyen *see* **atribuir**
atrincherado -a entrenched
atrio portico, vestibule
audaz bold, fearless
augurar to augur
aumentar to increase
aun even; **aún** yet, still
aunque although, even though, even if
aura (gentle) breeze
áureo -a golden
aurora aurora, dawn
ausencia absence
ausentarse to be absent, stay away
ausente absent, missing
autor author
autoridad authority
auxilio help
avance advance
avanzar to advance, go *or* come forward; **avanzaba siempre** kept on advancing
ave *f.* bird
avenimiento agreement
aventura adventure
aventurero adventurer
ávido -a eager
avisar to warn, counsel
aviso warning, counsel
avivar to revive
¡ay! alas!; **ayes** sighs
ayer yesterday
ayuda help, aid; **llamar en su —** to call to one's aid
ayudar to help, aid
azabache jet
azteca Aztec (*an Indian race in Mexico, whose empire was one of the two semi-civilized states in America at the time of the conquest. It was overthrown by Hernando Cortez*)
azucena white lily
azur azure, blue

B

bahía bay
baile dance; **sala de —** dance-hall
baja casualty
bajar to go *or* come down, descend; lower
bajo -a low; (*adv.*) under
bala bullet
banco bench
bandera flag, banner; colors
bañado -a (de) bathed (in)
bañar to bathe, wash
barba beard
barbarie barbarism
bárbaro -a barbarous, barbarian
barbudo -a bearded, with a beard
barca boat
barranca ravine, precipice
barrio district, quarter
base base, ground; term; **por su —** at the base
basílica basilica, church
bastante (*adj.*) sufficient; (*adv.*) quite, sufficiently, enough, rather
batalla battle
batallón battalion; **— Fijo** "Permanent Battalion" (*composed of artillerymen who are permanent residents of Porto Rico*); **— de línea** battalion of regulars
batida posse, searching-party
batería battery
batir to strike *or* beat down; attack
bautizar to baptise

bayeta baize (*a sort of flannel*)
Bayona Bayonne (*city in southwestern France*)
beber to drink
beldad beauty
Bélgica Belgium
belicoso -a belligerent, quarrelsome
belleza beauty
bellísimo -a very beautiful
bello -a beautiful, fine
bendecir to bless
bendiciendo *see* **bendecir**
bendición blessing
bendito -a blessed, hallowed
Benevento Beneventum (*city in Italy, not far from Naples*)
benigno -a benignant, kind, propitious
besar to kiss
bien (*noun*) good; blessing; love, dear one; **mi —** my dear, my beloved; (*adj.*) well, all right; (*adv.*) well, very
bienhechor benefactor
blanco -a white; (*poet.*) simple, pure, undefiled; **de —** in white
blancura whiteness, white
blando -a soft, gentle, pleasant
blandura softness, gentleness
blanquear to bleach, whitewash
boca mouth
bohío (*American term*) cabin
boliche (*Porto Rican term*) cigar
Bolívar Bolivar (*Simon Bolivar, the "George Washington" of South America, was born in Caracas, Venezuela, in 1783 and died in Santa Marta, Colombia, in 1830. His services in behalf of the struggling South American countries won for him the title of "Liberator"*)
Bolivia Bolivia (*the southern provinces of Peru joined together in a separate state in 1825, which was named "Bolivia" in honor of Bolivar, the great Emancipator. Main products are tin, copper, rubber and zinc. Area, 506,467 sq. mi.; pop., 2,974,900; capital, La Paz, 142,549*)
boliviano -a Bolivian
bomba bomb
bombardeo bombardment
bondad kindness
bondadoso -a kind
bonito -a pretty
bordar to embroider
borde edge, border
borrar to efface, blot out, erase
bosque woods, forest
bosquecillo little woods
bota boot
botón bud
bóveda vault, arch
Brasil Brazil (*the largest country, in area, in the New World. A rich country in agriculture and minerals. Official language, Portuguese. Area, 3,292,000 sq. mi.; pop., 41,000,000; capital, Rio de Janeiro, 1,500,000*)
brasilero -a Brazilian
bravo -a brave, valiant, hardy
brazo arm; **al —** on one's arm; **a — partido** hand to hand; with main force
brecha breach; **abrir —** to open a way
breñal bramble; ground covered with brambles
breve brief, short, small
brillante brilliant, shining
brillar to shine; be remarkable

brillo glitter, luster; twinkle
brioso -a spirited
brisa breeze
brotar to come forth, gush forth, spring; bud; **seguir brotando** to keep (on) coming forth
bruma mist
brutalidad brutality
brutalmente brutally
bucle curl
bucare *a kind of tree like the "ceibo," q.v.*
buen *short form of* **bueno**
bueno -a good, kind; well
buey ox
bullir to seethe, surge
buque vessel, ship
burlar to flout, evade; disregard
burlón -a mocking, jesting
busca search; **ir en — de** to go and look for, go in search of
buscar to seek, look for

C

caballero gentleman; knight; (*in address*) sir
caballerosidad chivalry
caballo horse; (de) **a —** mounted, on horseback; **¡a —!** mount!
cabaña cabin
cabellera hair, head of hair; **de negra —** with black hair
cabello(s) hair
caber to fit; fall to one's lot; be one's turn; **les cupo la misma suerte** they met the same fate, they had the same lot
cabeza head
cabizbajo crestfallen
cabo end; chief; cape; **— de guardia** corporal of the guard; **al —** in the end, after all; **llevar a —** to carry out
cabra goat
cacahuete peanut
cacao cocoa
cacique (Indian) chief
cada each, every; **— cual** each one; **— vez más** more and more
cadáver corpse, dead body
cadena chain
caer to fall; **ir cayendo** to keep on falling; **de que cayera** that it would fall
café coffee
caída fall; **— de la tarde** nightfall
caja box; coffin; **— fúnebre** coffin
cajita little box, case
cal lime, mortar; **a — y canto** with stone and mortar
cálido -a hot
calificar to qualify, term, call, denominate
cáliz calyx
calma calm, quiet, tranquility
calmar to calm, allay
calzada causeway, highway
callado -a silent
callar to be silent; **—se** to become silent, hush
calle street
cama bed
camarada *m.* comrade
cambiar to change
cambio change, exchange
caminar to walk (along), go along, travel; **— a tientas** to grope
caminito little path
camino road, way; **ir de —** to stroll, walk; **abrir —** to open a way
camisa shirt

campal field; **batalla —** pitched battle
campamento encampment, camp
campana bell
campesino countryman, rustic; **—a** country woman
campiña field
campo field, country; camp
canal canal
canastilla basket
canción song
cándido -a candid, guileless; white; pure
candoroso -a simple, true, honest
canela cinnamon
canoa small boat
cansancio weariness, fatigue
cansadizo -a weary, exhausted
cansado -a tired, weary
cantar to sing, sing of; (*noun*) song
cántico song
canto song; stone
caña cane, sugar-cane
cañada glen, dale, vale
cañón cannon, gun; barrel (*of a gun*)
caoba mahogany
capa cape
capaz capable, able, willing
capilla chapel
capital capital
capitán captain, leader
capitaneado -a led, headed
capítulo chapter
capullo bud
cara face; **de la — al cielo** face upward (*i.e.* bravely)
carabina carbine
Caracas Caracas (*capital of Venezuela*)
caracol snail
carácter character
Caravaca Caravaca (*city in southeastern Spain*); **cruz de —** patriarchal *or* archiepiscopal cross (*a double cross*)
cárcel prison, jail
cardo thistle
carga burden; charge; **a paso de —** charging
cargado -a (de) laden (with)
cargar to charge, attack; load
cargo charge; **hacerse — de** to realize; **tener a su —** to have charge of
caridad charity; mercy
cariño affection; **con —** affectionately
cariñosamente affectionately
Carlos Carlos, Charles
carmín carmine, red, crimson
carne flesh; meat; body; **—s** flesh
carnicería butchery, massacre
caro -a dear
carrera road
carreta ox-cart
carrizo reed-grass
carta letter
casa house; **a (la) —** home; **— pajiza** straw house
casaca coat
casamiento marriage
casar to marry; **—se con** to marry
casco helmet
casero -a of the household, household
casi almost
caso case, occasion, circumstance
castellano -a Castilian, Spanish; (*noun*) Spaniard
castigar to punish, whip
castigo punishment

Castilla Castile (*a region in north and central Spain*)
castillo castle
castizo -a pure (*of literary style*)
casualidad chance
catástrofe catastrophe
católico -a Catholic
caudillo chief, chieftain, leader
causa cause, case, reason; **sin — alguna** without any reason, for no reason at all; **a — de** because of
causar to cause
cautiverio captivity
cautivo -a captive; (*noun*) captive
cavado -a dug
cavar to dig
cay-endo, -era, -eron, -ó *see* **caer**
caza hunt; **dar — a** to give chase to, hunt
cazar to hunt, run down
ceiba *five-leaved silk cotton-tree*
ceibo *a South American tree* (*used to shield coffee and cocoa plants from the sun. It bears a red flower*)
céfiro zephyr
cegar to blind
celaje light cloud; sky
celda cell, shell
celebrar to celebrate
célebre famous
celeridad speed
celo(s) jealousy, suspicion
celosía Venetian blind, shutter
cenar to eat supper
ceniza(s) ashes
centenar hundred
centinela *m. or f.* sentinel, watch
central central
centro center; place of origin; natural environment; **Centro-América** Central America
centroamericano -a Central American
ceñido -a girded
ceñir to encircle, girdle, put around (*the waist*)
cerca near, about; **— de** about, near, close to; **de —** close, closely, near
cercado enclosure, enclosed field
cercanía neighborhood, vicinity
cercano -a nearby, near
cereza cherry
cerrar to close, shut; seal, block; **—** (el) **paso** to block one's way *or* advance; **al — la noche** when night fell
cerro hill
cesar to cease, stop; **sin —** incessantly
cetro scepter
cicatrizar to heal
ciegamente blindly; passionately (*of love*)
ciego -a blind; **— de** blind with
cielo sky, heaven; **de la cara al —** face up (*i.e.* bravely); **— de mi vida** my darling
cien *short form of* **ciento**
ciento (a) hundred, one hundred
cierto -a certain, a certain; true, unfailing, sure
ciervo stag, deer
cifrar to place, fix, stake
cigarro cigar
cima summit, top, peak
cimbrador -a vibrating, swaying
cincelado -a embossed, engraved
cinco five
cincuenta fifty
ciña *see* **ceñir**
ciprés cypress
circulante circulating, circling
circular to circulate

circundado -a (de) surrounded (by), circled (by)
circundar to circle, surround
cita call, summons
citar to cite, mention; **merece(n) citarse** is (are) worthy of mention, may be mentioned
ciudad city; **— de los Reyes** *title given to Lima, Peru, during colonial times*
civil civil
civilización civilization
claro -a clear, plain, evident; light; (*noun*) clearing, gap; light
clase class, kind; **toda —** every kind, all kinds
clavar to fasten, fix; stick
clavel pink, carnation (*the national flower of Spain*)
clemencia clemency
clima climate
cobardemente cowardly
cobrar to gain; assume; take on
cobre copper
coche coach, carriage
codiciar to covet, desire
cofre coffer, chest
coger to seize, catch, pick up, gather, get
cogido -a caught; **cogidas de las manos** hand in hand
colérico -a angry
colgar to hang
colina hill
colocación position
colocar to place; put back
Colombia Colombia (*so named in honor of Columbus. The country is rich in minerals. It ranks first in the world in the production of emeralds and second in platinum. Before the War of Independence Colombia, under the name of "New Granada," comprised the modern states of Colombia, Ecuador and Venezuela. Area 438,436 sq. mi.; pop., 8,228,000; capital, Bogota, 235,421*)
colombiano -a Colombian
Colón Columbus
colonia colony
colonización colonization
colono colonist
coloquio conversation
color color; **— de rosa** pink; **— de mora** dark purple; **—es** hue, complexion, color
colorado -a red; **los Colorados** the Red Coats
collar necklace
comarca region, district
combate battle, fight
combatiente combatant, fighter
combatir to combat, fight
combinar to combine; **— sus planes** to lay one's plans
comenzar (a) to commence (to)
comer to eat
cometer to commit
comienzo beginning; **dar — a** to begin
como as (a), like (a), as if, since; about, approximately; **— de** of about; **— por** as if by; **un . . . lamento** what seemed to be a . . . cry; **— a distancia de . . .** at a distance of some . . . ; **¡cómo!** how! **¿cómo?** how? what?
compacto -a compact; (*noun*) pact
compañero comrade
compañía company
comparar to compare; **compárese** compare

comparecer to appear
compartir to share
complacerse to take delight
complacido -a pleased
complemento object (*grammatical*)
completamente completely, altogether
completo -a complete
complicidad complicity, aid
componer to compose
comprar to buy
comprender to understand
compromiso obligation
compuesto -a composed
común common
comunión communion
comúnmente commonly
con with, by
concebir to conceive
conceder to grant, concede
concentrado -a concentrated
concesión concession
concibió *see* **concebir**
conciudadano fellow-citizen
concluído -a concluded, completed
concluir to conclude, complete, finish; **concluyó por creer** finally believed
concluyó *see* **concluir**
concordancia agreement (*grammatical*)
condenado -a condemned; **el — a muerte** the man who was condemned to death
condenar to condemn
condescender (en) to condescend (to)
condición condition
conducir to conduct, lead; carry
condujo *see* conducir
conferenciar to confer, parley
conferir to confer, grant
confianza confidence, trust
confiar to confide, trust, intrust
confirió *see* **conferir**
confirmar to confirm
confluencia confluence, junction
conforme (a) according (to)
confortar to comfort
confundido -a confused
confundir to confuse; **—se** to mingle
confuso -a confused, confounded
congreso Congress, Assembly
conjunto whole, compendium
conmigo with me
conmover to move, affect; disturb
conmueven *see* **conmover**
conocedor connoisseur; **experto — del terreno** being very familiar with that region
conocer to know, be acquainted with; recognize; **se conoce desde entonces** has been known since that time
conocido -a known; **— con** known by
conquista conquest
conquistador conqueror
conquistar to conquer, win
consagrar to devote
consecuencia consequence; **a — de** in consequence of, as a result of; at the cost of
conseguir to succeed in; get, obtain; attain; win (*a victory*)
consejero counselor
consejo advice, counsel; council; **— de Guerra** court-martial
conservador -a conservative
conservar to preserve, keep
considerar to consider, think; **se le consideraría** would be considered

consigo with himself (herself, *etc.*); **llevar —** to take along, bring along
consiguiendo *see* **conseguir**
consiguiente following, consequent; **por —** consequently
consigu-ieron, -ió *see* **conseguir**
constar to consist
constituyente constituent
construcción construction; building; order
construído -a built
construir to construct, build
construy-eron, -ó see **construir**
consuelo consolation, comfort; **prestar —** to comfort
contacto contact, touch; **cuyo solo —** whose mere touch
contar to count; tell, relate; have; **se cuenta** it is related; **— con** to count on; reckon with; have; **— . . . años** to be . . . years old
contemplar to contemplate, behold
contemporáneo -a contemporary
contener to restrain, hold back
contento -a contented, happy; (*noun*) satisfaction, joy, contentment
contestación answer, reply
contestar to answer, reply; **— a uno** to answer in unison
contienda engagement, quarrel
contigo with you
continente continent
continuado -a steady
continuar to continue, keep up
contra against
contraído -a contracted
contrariado -a vexed
contrario -a contrary, stubborn; **una vida —a** the life of an enemy
contrastar to contrast
contrito -a contrite, penitent
conturbado -a disturbed; **no —** undisturbed
contuvo *see* **contener**
convencido -a convinced; **— de que** convinced that
conveniente convenient, appropriate
convenientemente conveniently, appropriately
convenir to agree
convento convent, monastery
conventual monastic
conversar to speak (to), talk (with)
convertido -a (en) converted (to); reduced (to)
convertir (en) to convert (to), reduce (to)
copa glass
coquetear to coquet, flirt
coraza cuirass
corazón heart; **sin —** heartless
corcel steed
cordillera mountain chain, range, ridge
corneta *m.* bugler; *f.* bugle
corona crown
coronel colonel
corredor corridor, hall
correo courier
correr to run; **corría la guerra** war was raging; **corría el año . . .** it was the year . . . ; **tras largo —** after running a long time
correspondencia correspondence
corresponder to return one's affection
correspondiente corresponding
corrida course; **de —** at full speed, swiftly
corriente current

cortado -a short, cut up
cortadura cut, ditch, canal; fissure
cortar to cut
corte court; **la Corte** the Court (*i.e.* Madrid)
Cortés Cortez
corto -a short, scanty, small
cosa thing, affair, matter; **— de** about, approximately
costa cost; **a toda —** at all costs, at all hazards
costado side, flank
costar to cost
Costa Rica Costa Rica (*one of the most progressive of the Central American countries. Its two main products are bananas and coffee. Area, 23,000 sq. mi.; pop., 515,000; capital, San Jose, 55,200*)
costarricense Costa Rican
costumbre custom; **de —** usual
creación creation
crecer to grow, increase
creciente flood, flood-water; freshet
creencia belief
creer to believe, think; **creían obtener** expected to obtain
crepuscular of twilight, twilight
crepúsculo dusk, twilight
cresta crest, top
crey-endo, -ó *see* **creer**
criado servant
criar to educate, bring up; **—se** to grow
criollo *term applied in Spanish America to native whites who are descendents of Spaniards*
cristalino -a crystalline, glassy, clear; bright (*of eyes*)
cristiano -a Christian
crónica chronicle, record
Cristóbal Christopher
crudo -a crude, cruel; raw, bitter
cruel cruel, severe; crude; raw, bitter; (*noun*) cruel *or* heartless person
crueldad cruelty; **con —** cruelly, severely; **— con** cruelty toward *or* to
crujir to creak, crack
cruz cross; sorrow (*poet.*); **— de Caravaca** patriarchal *or* archiepiscopal cross (*i.e. a double cross*)
cruzar to cross, pass through *or* across
cual which, what, as, like; **el —, la —,** *etc.* who, whom, which, he who, she who, the one who; **lo —** which; **— si** as if; **cada —** each one, each
cuál what, which
cuán how much, how
cuando when; **de — en —** from time to time
cuándo when
cuanto -a how much, as much, all the, all that, as much as; **—s** how many, as many, all the, all that; **en —a** in regard to, as for; **unos —s** some, a few
cuánto -a how much; **—s** how many
cuarenta forty
cuartel barracks, quarters; **— general** general headquarters
cuarto room, quarter; **— de hora** a quarter of an hour
cuatro four
Cuba Cuba (*the largest of the West Indies. Its main products are tobacco and sugar. Area, 44,164 sq. mi.; pop.,*

3,763,375; capital, Havana, 584,893)
cubano -a Cuban
cubierta deck; **sobre —** on deck
cubierto -a (*past part. of* **cubrir**) covered
cubrir to cover
cuchara trowel
cuello neck
cuenta account, narrative; report; **darse — de** to realize, be conscious of, notice, heed
cuent-a, -an *see* **contar**
cuento story, tale; butt, butt-end
cuerda rope
cuerno horn
cuerpo body, corps; **en — y alma** body and soul; **— a —** hand to hand
cuervo crow
cuestión argument, question
cuidado care; **tener —** to be careful; worry; **de —** serious, dangerous
cuidar (de) to take care (of), attend to, look after, pay attention to
culminar to culminate; **— más alto** to reach its highest point
culpado (*noun*) accused person, condemned person, one who has been accused *or* condemned
cultivar to cultivate
cultivo cultivation
culto cult, worship, homage, veneration
cumbre summit
cumplir (con) to fulfill, carry out, accomplish; keep (*a vow*)
cupo *see* **caber**
cura priest
curado -a cured, healed
curar to cure
curso course
curva curve
Cuscatlán *indigenous name of Salvador*
cutis skin
cuyo -a whose, of which, which

CH

chaqueta jacket, coat
charla talk, chatter
charlar to talk, chatter
charrúa *Indian of the Plata region*
chasqui (*Ecuadorean term*) courier
chico -a little, small; (*noun*) little boy *or* girl
Chile Chile (*a country extending along three fourths of the Pacific coast of South America. Its main industries are the mining industries; nitrate of soda, copper, iodine and borate of lime. Area, 292,100 sq. mi.; pop., 5,000,000; capital, Santiago, 712,533*)
chileno -a Chilean
chirriar to squeak
chispa spark
chispeante sparkling
choque clash, impact, shock
choza hut, cabin

D

dama lady
dame *impve. of* **dar + me**
dañar to damage, harm
dar to give; **— a** to open on; **— de . . .** to give something to . . . ; **— de comer** to feed; **— caza** to give chase, hunt; **— por** to consider; **— la**

última mano to put on the finishing touches; **— un manotón** to strike a blow with the hand; **— un paso** to take a step; **— muerte** to kill; **se le da** it is given; **se le dió** (he) was given; **—se cuenta de** to be conscious of, notice, realize, heed; **—se el adiós supremo** to bid a last farewell
de of, by, with, concerning, on account of, from, in, than; **— lo que** than
debajo under; **— de** beneath, under
deber (*noun*) duty
deber to have to, must, ought; owe; **debía de** was to; **se debía mantener** was to be maintained; **debió de haber** (there) must have been; **debió de haber tomado** must have taken; **¿debía o no?** should he or should he not?
debido -a due
débil weak
debilidad weakness
década decade
decano dean
decena ten; **una — de** some ten, about ten
decidir to decide; **— a** to move (one); **decidido a** having decided to
decir to say, tell; speak; **es —** that is to say; **como se dice** as they say; **dile** tell him *or* her; **dile al oído** whisper in her ear; **dime** tell me
decisivo -a decisive
declarar to declare, state; **se declararon en completa derrota** (they) were completely routed
decretar to decree
decreto decree
dedicar to dedicate, devote
dedo finger
defender to defend
defensa defense
defensor defender
dejar to let, leave, allow; **deja que rece** allow me to pray; **— de** to cease to, fail to, stop
del = de + el of the; **— que** of him who, of the one who
delante before, in front, ahead; **— de** in front of
deliberar to deliberate
delicado -a delicate
delirar to rave, dote, dwell on (*with passion*)
delirio delirium, moment of madness
demanda demand; **en — de** in pursuit of, after
demás rest, other
demasiado -a excessive, too much; (*adv.*) too, too much
demócrata democrat
democrático -a democratic
demostración demonstration, proof, show
denotar to denote
denso -a dense, thick, thickly-populated
dentro inside, within; **— de** inside of, in, within
denunciar to betray
deponer to lay aside
depositar to deposit, place, put
derecho -a right; **a derecha** to the right; (*noun*) right; tax; (*adv.*) straight
derramar to scatter, shed, shower
derribar to demolish, fell, knock down

derrota rout, defeat
derrotar to overthrow, rout, defeat
derrumbe falling, tumbling down
desaliento depression, discouragement
desaparecer to disappear
desaparición disappearance
desastre disaster
desastroso -a disastrous
desarrollar to develop
desatar to untie, loosen, unbind
desbordarse to burst, burst out
descabellado -a preposterous, absurd
descansar to rest, repose
descargar to discharge, give (*a blow*)
descender to descend, go *or* come down
desciendo *see* **descender**
descolgar to take down; **—se** to let one's self down
descolgué *see* **descolgar**
desconocido -a unknown; (*noun*) stranger
descubrimiento discovery
descubrir to discover; **—se a** to show one's self to, appear before
descuido oversight, negligence; **por no se sabe qué —** for some unknown negligence, for some negligence or other
desde from, since, after; **— que** since; **— entonces** since then, since that time; **— luego** at once, immediately
desdén disdain; (*pl.*) disdain, scorn
desdeñar to disdain, scorn
desdeñoso -a disdainful, proud
desdicha misfortune
desdichado -a unfortunate
deseado -a desired, cherished
desear to desire, wish, like
desechar to reject, refuse
desembarcar to land, disembark
desembocar to empty (*of a stream*); terminate
desenfrenado -a unbridled, unrestrained
desenlace climax
deseo desire
desesperación despair
desesperado -a desperate, despairing
desfiladero defile; **— abajo** down the defile
desfilar to pass (*in single file*), file by
desgajar to tear loose
desgarrador -a piercing, heartrending
desgarrar to rend, tear, pierce
desgracia misfortune, unhappiness; **por —** unfortunately
desgraciado -a unfortunate
deshacer to rout, put to flight
deshecho -a (*past part. of* **deshacer**) broken (up), grieved; undone; **— en llanto** having given way to tears
deshonrar to dishonor
desierto -a deserted, waste, empty; (*noun*) desert, waste
designar to designate, call
deslizar to slip, slide; **—se** to slip by, pass by, slide, skip (by)
deslumbrado -a dazzled
deslumbrador -a (**de**) dazzling (with)
deslumbrar to dazzle
desmayado -a pale; weak, faint
desmayarse to faint; lose *or* give up hope; set (*of sun*)

desmontar to dismount
desorden disorder
despacio slow, slowly
despacho dispatch
despedir to dismiss; **—se** to take leave, say goodbye
despertar to awaken, arouse; **—se** to wake up, awaken
despiadado -a merciless, cruel
despidió *see* **despedir**
despiértase *see* **despertar**
despierto *see* **despertar**
desplomado -a flat; **caer —** to fall flat to the ground
desplomarse to fall flat to the ground
despreciar to scorn
desprecio scorn, contempt
después afterwards; **— de** after; **— de ser recibido** after having been received
destacarse to stand out, be prominent
desteñirse to lose (its) color
destino fate, destiny
destiñe *see* **desteñirse**
destreza dexterity, skill; **con —** skilfully
destrozo destruction, ruin; **—s** havoc
destructor -a destructive
destruído -a destroyed
destruir to destroy, kill
desvanecer(se) to vanish, disappear; dispel
desvelo watchfulness, vigilance
desventurado -a unfortunate, unhappy
desviado -a deflected, diverted; **la muerte —a** death that was diverted
desviar to divert, deflect
detención detention; **con —** leisurely; attentively
detener to detain, stop; **—se** to stop; **sin que detuviesen** without . . . being able to stop
detestable detestable, baleful
detonación shot, loud report
detrás behind, in the rear; **— de** behind; **por —** from behind
detuviesen *see* **detener**
detuvo *see* **detener**
deuda debt
devoción devotion
devolver to give back, return
devorar to devour, swallow up
devoto -a devout; (*noun*) devout person, devotee
di *impve. of* **decir**
día day; **un —** one day, some day; **el — anterior** the day before; **— y noche** night and day; **al — siguiente** (on) the following day; **en pleno —** in broad daylight; **a pocos —s** a few days later; **habrían pasado cinco —s** five days must have passed
diablo devil
diadema diadem
diario -a daily
dibujar to outline; show; **—se** to appear, be seen
dibújase *see* **dibujar**
dic-e, -en *see* **decir**
diciembre December
diciendo *see* **decir**
dictador dictator
dictadura dictatorship
dictar to dictate, pronounce
dicha happiness, fortune
dicho -a (*past part. of* **decir)** aforesaid, aforementioned; this; **o mejor —** or rather
dichoso -a happy, fortunate
dieron *see* **dar**
diez ten

diezmado -a decimated, thinned
diezmar to decimate, mow down, thin
diferente different
difícil difficult, hard
dificultad difficulty; narrowness (*of a pass*)
difundir to diffuse, spread
difunto -a deceased, dead
dignidad dignity
dignitario dignitary
digno -a worthy
dij-e, -o *see* **decir**
dilatarse to expand
dile *impve. of* **decir** + **le**
diligencia diligence, care, activity; haste
diligente diligent, active, busy
dilo *impve. of* **decir** + **lo**
dime *impve. of* **decir** + **me**
dinero money
dió *see* **dar**
dios god
Dios God; **por —** for heaven's sake; **— te salve** God save you
diosa goddess
diptongo diphthong
dirección direction
director director, dictator
dirigir to direct, turn to; **—se** to make one's way, go
dirimir to adjust; smooth
disciplina discipline
discutir to discuss
disgusto disgust, annoyance; grief
disimuladamente unpretendingly, unpretentiously
disiparse to disappear, vanish
disparar to fire; **— requiebros** to pay compliments, flatter
dispersar to disperse
disponer to dispose, decree; arrange, prepare, resolve, provide; **dispuso que fuese . . .** he decided that . . . should go; **—se a** to get ready to, prepare to
disposición disposition, nature
dispuesto -a (a) (*past part. of* **disponer**) disposed (to), ready (to *or* for)
dispuso *see* **disponer**
distancia distance; **como a — de** a distance of about; **a poca —** a short distance (away); **a corta —** a short distance (away); **a —** in the distance
distante distant
diste *see* **dar**
distinguido -a distinguished
distinguir to distinguish, perceive; **—se** to distinguish one's self; be *or* become notorious
distinto -a distinct, different
distribuído -a distributed
distribuir to distribute
distribuyó *see* **distribuir**
dividido -a divided
divino -a divine
divisa motto, seal
do *poetical for* **donde**
doblar to bend, fold; peal (*of bells*)
doce twelve
doliente sorrowful, mournful, sad
dolor grief, sorrow, pain; sadness, mournfulness
doloroso -a doleful, mournful, dismal
domar to dominate, subjugate
dominación rule, domination
dominar to master, conquer, subjugate, dominate; command

Dominicana: la República — the Dominican Republic (*discovered by Columbus on Sunday, December 6, 1492, whence its name. Its principal products are cocoa, sugar, coffee and tobacco. Area, 19,325 sq. mi.; pop., 897,405; capital, Santo Domingo, 30,000*)
dominicano -a Dominican
dominico -a Dominican (*member of the order of the Dominicans*)
don gift; Don (*title formerly indicating aristocratic rank. To-day it is used quite freely before a man's baptismal or given name*)
donaire grace, elegance, wit
donativo gift, present
doncella maid
donde where, in which; **en —** where, in which; **por —** through which, by which; **dónde** where; **a dónde** where, whither
dondequiera wherever; anywhere; **a — que fuese** wherever he went; **por —** everywhere
donoso -a gay, witty, pleasant; **la donosa** the charming maid
doña Doña (*feminine form of* **don**)
doquier(a) *poetical for* **dondequiera; — estés** wherever you may be
dorado -a gilded
dormido -a asleep, sleeping, slumbering; drowsy
dormir to sleep; **—se** to fall asleep
dormitorio bedroom
dos two; **los —** the two, both; **entre los —** between them, between the two of them; between us two
doscientos -as two hundred
dotado -a (de) endowed (with), gifted (with)
duda doubt; **sin —** doubtless
duelo sorrow, grief, mourning
dueña mistress
dueño master, owner; lord
duerm-e, -o *see* **dormir**
dulce sweet; gentle, soft
dulcemente sweetly, meekly
dulzura(s) sweetness, gentleness; **con —** sweetly, gently, pleasantly
duque duke
duramente severely, harshly
durante during
durar to last
duro -a hard, harsh, cruel; severe

E

e and (*used for* **y** *before* **i** *or* **hi**)
ébano ebony; **de —** like ebony, ebony-black
eclosión opening (*of a flower*); **en la — primaveral** with the coming of spring
eco echo
Ecuador Ecuador (*so called on account of its geographical position on the equator. The main products of Ecuador are cocoa, tobacco, vegetable ivory and Panama hats. Area, 116,000 sq. mi.; pop., 1,500,000; capital, Quito, 91,641*)
ecuatoriano -a Ecuadorean
echar to throw, cast; **— a** to begin (to); **—se a** to throw one's self into; **— de menos** to miss

edad age; **en la — florida** in the prime of life
Edén Eden, paradise
edificar to build
edificio building
educación education
efecto effect, result; **al —** for that purpose; accordingly; **en —** in fact; **hacer el — de** to produce the effect of; **habrían hecho el — de** must have looked like
efectuar to carry out, accomplish; decide upon
eficaz effective
ejecución execution
ejecutar to execute, carry out; **— en** to carry out against
ejemplo example
ejercer to exercise
ejercicio exercise
ejército army
el the; **— de** (*etc.*) that of; **— que** (*etc.*) who, he who, the one who, which; **del que fué** of him who had been
él he, him, it
elegante elegant
elegido -a chosen; (*noun*) choice
elegir to elect, choose
elevado -a lofty
elevar to raise, lift (up), strike up; **—se** to rise, lift itself
elocuente eloquent
elogio praise
eludir to elude, avoid
ella she, her, it
ellas they, them
ello it; **para —** in order to do that, for that purpose
ellos they, them; **a —** at them
embarcarse to board, embark, sail
embargarse to be paralyzed, be overwhelmed
embargo hindrance; **sin —** nevertheless, however
embarque sailing, embarking
emboscada ambush, ambuscade
emboscar to place in ambush, hide
emigrar to emigrate, go out of *or* from
eminencia eminence
emoción emotion
empenachado -a plumed, wearing plumes
empeñar to pledge; **—se** to persist
emperador emperor
empezar (a) to begin (to)
emplear to use, employ
emplée(n)se *see* **emplear**
emponzoñado -a poisoned
emprender to undertake, begin
empresa undertaking, enterprise
empréstito loan
empujar to push, drive
empuñadura hilt
empurpurado -a crimson, reddened
en in, on, upon, at, to, of, as, for
enagua skirt, dress
enamorado -a in love; (*noun*) lover
enamorarse (de) to fall in love (with), be in love (with)
enarbolar to hoist
encaje lace, lace-work
encantador -a enchanting, charming
encanto magic, enchantment, charm
encarcelar to imprison
encargar to charge, commission

encariñar to inspire affection *or* love
encarnizado -a inflamed, bitter
encender to light, kindle
encendido -a lighted, inflamed, burning
encerrar to contain, enclose; lock up
encierra *see* **encerrar**
encima above; **por — de** above
encontrar to meet, find; **—se** to meet, be; **—se con** to find
encuentra *see* **encontrar**
encuentro encounter, meeting; **salir al —** to come *or* go out to meet
endulzar to sweeten, soothe
enemigo -a enemy, enemy's; (*noun*) enemy
energía energy; **con —** energetically
enero January
enfado anger
enfermo -a ill, sick
enfurecido -a furious, enraged
engañar to deceive
enjambre swarm
enlazado -a entwined, united
enmarañado -a tangled; thick
enmarañar to tangle; spin
enojo vexation, displeasure; **causar —** to vex, displease; (*pl.*) vexation
enredado -a entangled
enriquecer to enrich
ensangrentado -a covered with blood
ensenada cove, small bay
enseña ensign
enseñar to show, teach
ensoñador -a dreamy
ensueño dream
entablar to establish; start (*a conversation*)
entender to understand, hear; **—se** to agree, come to an understanding
enterado -a acquainted; **— de lo ocurrido** understanding what had happened
entero -a whole, entire; **todo —** entirely, wholly
enterrar to bury
entierro burial, hiding
entonces then; **por —** at that time; **desde —** from then on
entrada entrance
entrañablemente devotedly, with all one's heart
entrar to enter, go in, penetrate
entre in, between, among, amidst; **por —** among
entregado -a given up, abandoned
entregar to deliver, give (up), hand, turn over
entretanto meanwhile
entretenido -a entertained, celebrating
entusiasmo enthusiasm, ardor
envanecer to make proud
enviar to send
envidiar to envy
envolver to wrap up, envelop; **—se** to wrap up
envuelto -a (*past part. of* **envolver**) wrapped
Epiro Epirus (*a province of ancient Greece, now forming the southern part of Albania*)
episodio episode
época epoch, time, era; **la — de la colonización** colonial times
era (*noun*) era
er-a, -an, -es *see* **ser**
erguido -a erect
erguirse to rise, shoot up, ascend; appear

erigir to erect, build, set up
ermita hermitage, shrine
errabundo -a wandering
errante wandering; **vagar —** to wander haphazardly
esa *see* **ese**
esbelto -a slender
escabroso -a rough, uneven
escala supply-base
escalar to scale
escamoteo jugglery, magic
escapar to escape, flee; **—se** to escape
escape flight; **a —** at full gallop, as swiftly as possible, at full speed, on the run
escarcha frost
escarpado -a scraggy
escasear to be low, be scanty, be wanting, be scarce
escasísimo -a very small
escaso -a low, scanty, scarce
escena scene
esclavitud slavery
esclavo -a slave; (*noun*) slave
escoger to choose, select
escogido -a choice, select, picked
esconder to hide, conceal
escondido -a hidden, concealed; nestling
escoria scum
escribir to write
escrito -a (*past part. of* **escribir**) written; (*noun*) writing
escritor writer
escuchar to listen, hear
escuadra square; squad
escultor sculptor
ese, esa that; **ése, ésa** (*pron.*) that, that one; **eso** that; **por eso** for that reason, on that account; **eso eres tú** that is what you are; **eso soy yo** that is what I am
esfuerzo effort
esgrimir to brandish, flourish
esmeralda emerald
espacio space, distance
espada sword
espantar to frighten, drive away
espanto fear, fright
espantoso -a fearful, frightful, terrible
España Spain
español -a Spanish; (*noun*) Spaniard
esparcir to spread
especial special, peculiar
especie species, kind, sort
espectro spectre, phantom
esperanza hope
esperar to wait, wait for; hope, expect
espesura thicket
espeso -a thick; heavy (*of sky*)
espina thorn
espirar to expire, die; come to a close, end
espíritu spirit; mind; strength; **Espíritu Santo** Holy Ghost
espléndido -a splendid, grand, magnificent; resplendent (*of sun*)
esplendor splendor, grandeur
esposa wife
esposo husband
esta *see* **este**
establecer to establish, set up
estación season; **— de las aguas** rainy season
estado state; **Estados Unidos** United States
estallar to break out, burst, explode
estampido report
estar to be; **— para** to be about to, be on the point of; **ya no estaba** was no longer there;

doquier estés wherever you may be; **estuviese** (there) should be
estático -a extatic, in ecstasy
estatua statue
estatura stature, height; **. . . de — . . .** high
este, esta this; **estos, estas** these; **éste** *etc.* this one, the latter; **esto** this; **por esto** therefore, consequently; **para esto** for this purpose; **en esto** herein, therein, in the meantime, meanwhile
est-é, -és *see* **estar**
Esteban Esteban, Stephen
estéril sterile, barren; futile
estilo style
estipulación stipulation; promise
esto *see* **este**
estoico -a stoical
estoy *see* **estar**
estrechar to press
estrecho -a narrow, straight
estrechura narrowness; narrow pass, defile
estrella star; **de —s** starry
estremecer(se) to tremble, quiver, shake
estremecido -a trembling, quivering
estropeado -a bruised, hurt, maimed
estuario estuary
estruendo noise, clamor, shout
estupendo -a stupendous
estupor stupor
estuv-iese, -o *see* **estar**
eternidad eternity
Europa Europe
evasivo -a evasive
evitar to avoid, escape
evocar to call out to, invoke; recall, remind (of)
examinar to examine
exangüe pale; dark (*of an afternoon*)
exánime lifeless
exasperar to irritate
excelencia excellence; **por —** par excellence
excepción exception; **a — de** with the exception of, except
excesivamente extremely, greatly, to the highest degree, very much
exceso outrage, violence
exclamación exclamation
exclamar to exclaim
exigencia exigency, demand
exigir to demand, exact
existencia existence, life; living, livelihood
existir to exist; (*noun*) life, existence
expedir to expedite, facilitate; dispatch, send; issue *or* promulgate (*a decree*)
experto -a expert, experienced; **— conocedor** having a thorough knowledge
expidió *see* **expedir**
explicar to explain
expresar to express
expresión expression
expresivo -a expressive
expulsado -a ejected, driven out
expulsar to drive out
extender to extend, stretch out; **—se en todo** to spread throughout
extensión extension, expanse
extenso -a extensive, wide, vast
exterminio expulsion, destruction
extinguir to extinguish
extranjero -a strange, foreign; (*noun*) stranger, foreigner

extraordinario -a extraordinary, unusual
extraño -a strange
extrañarse to be surprised, be astonished
extravagante extravagant
extremo -a extreme; (*noun*) straits, end
extremoso -a extreme
exuberancia exuberance, exultance

F

fabuloso -a fabulous, unbelievable
fácil easy
facilidad ease; **con —** easily
fachada façade, front
falda slope
falta lack, want; offense, fault
faltar to be lacking, be wanting, be missing; **aún falta mucho para el nuevo día** the new day (*i.e.* morning) is still far away
fallecer to pass away, die
fama fame
familia family
familiar familiar
famoso -a famous
fango mud, mire
fantasía imagination, fancy
fantasma *m.* phantom
fantástico -a fantastic
fatal fatal
fatídico -a prophetic, foreboding ill
favor favor, protection
favorable favorable
favorecido -a favored
favorito -a favorite
faz (*poet.*) face
fe faith
fecundo -a fruitful, fecund, prolific; rich
fecha date
feliz happy, fortunate; **— de mí** how happy I am
femenino -a feminine
fementido -a treacherous
feraz fertile, fruitful, abundant, copious
Fernando Fernando, Ferdinand
ferocidad fierceness, ferocity, cruelty
feroz fierce, brutal
férreo -a firm, stern
fértil fertile, fruitful
férvido -a fervid, ardent, passionate
ferviente fervent, glowing, passionate
fervor fervor, zeal
festín feast
fiel faithful
fiereza fierceness, cruelty
fiero -a fierce, cruel, furious
fiesta festival, feast, feast-day
figura figure
figurar to figure, appear; **—se** to imagine
fijar to fix, establish
fijo -a fixed, firm, permanent
fila rank
filibustero filibuster, freebooter
filo edge
fin end; **al —** at last, finally; **por —** at last, finally; **en —** in short; **tocar a su —** to draw to a close, come to an end
fingir to feign, pretend, simulate
finísimo -a very fine
fino -a fine; slender
firmado -a signed
firme firm
firmeza firmness; **con —** firmly
físico -a physical
fisonomía physiognomy, face
Flandes Flanders

flébil mournful
flecha dart, arrow
flechero archer; (*fig.*) sun
flor flower
florecido -a flowery, in blossom, in full bloom; **en la edad —** in the prime of life
florecilla little flower
florido -a flowered, flowery, full of flowers
flotar to float, flow; hover
flote floating; **a —** afloat
fluir to flow
fluye *see* **fluir**
follaje foliage
fondo bottom, depth, background; **en el —** at the bottom; **—s** funds
forma form, shape
formar to form, make; **— en las filas** to enlist in the ranks; **iban formándose** kept on forming *or* being formed
fornido -a robust
fortaleza fortress
fortificación fortification
fortificar to fortify
fortuna fortune
forzar to force; push (by)
fragante fragrant
frágil fragile
fraile friar, monk
francés -a French; (*noun*) Frenchman
franco -a frank, sincere
frase phrase, sentence, expression
fray brother (*used before monks' names, as* **fray Antonio**)
frente *m.* front rank; **al — de** in front of, at the head of; opposite; **— a** in front of, before, opposite; **en — de** in front of, opposite; *f.* forehead, face
fresco -a fresh, cool
frío -a cold; (*noun*) cold; **tener (mucho) frío** to be (very) cold
frisar (en) to border on; to be about (*of age*)
frondoso -a luxuriant; leafy
frontera frontier, boundary, border
fruto fruit
fué *see* **ser** *or* **ir**
fuego fire; **de —** fiery, ardent; **arma de —** fire-arm; **ojos de —** eyes full of fire, lively eyes
fuente fountain
fuera outside, out; **— de** outside of, away from
fuera *see* **ser** *or* **ir**
fueron *see* **ser** *or* **ir**
fuerte strong; (*noun*) fort
fuerza strength, force; **—s** troops; **a la —** by force; **por —** by force; **por — de . . .** by sheer . . .
fuese *see* **ser** *or* **ir**
fuga flight
fugarse to flee, escape, run away
fugitivo -a runaway, fugitive
fugué *see* **fugarse**
fuiste *see* **ser** *or* **ir**
fulgor gleam, resplendence, brilliancy
fulgurar to gleam, flash, shine
fumar to smoke
fundado -a founded
fundador -a founder
fundar to found
fúnebre sad, doleful, ill-presaging; **caja —** coffin, casket
furioso -a furious
furor fury, rage, anger
fusil gun
fusilado -a shot to death

fusilar to shoot to death; **— por detrás** to shoot in the back
futuro -a future

G

gala gala; **vistiendo traje de —** in gala attire
galería gallery
ganar to gain, win; reach
garganta throat; gorge
garita sentry-box
gastar to spend
gemido wail, groan, lamentation
gemir to howl; whistle (*of bullets*)
generación generation
general general; (*noun*) general; **mi —** general, sir (*in addressing an officer*); **— en jefe** commander-in-chief
generalísimo generalissimo
generosidad generosity, kindness
generoso -a generous, kind
genio genius
gente people; (*pl.*) folk, people
gentil gentle; slender, charming
geometrizar to spin (*with geometrical design*)
germen bud; source; **sofocar en —** to nip in the bud
gigante giant
gimiendo *see* **gemir**
gloria glory, bliss; **ilusión de —** glorious illusion
gloriarse to glory, boast, take delight
glorioso -a glorious
gobernar to govern; drill
gobierno government
golfo gulf
golpe blow, stroke
golpear to strike, beat; **— en tierra** to strike the ground, stamp
gorjeo warbling
gorra cap
gota drop
gozar to enjoy
grabar to engrave
gracia elegance, grace, beauty; kindness, favor; **—s** thanks; beauty; **—s a Dios** God be thanked
grácil delicate, lovely
gracioso -a graceful, pleasant, charming
grado degree
gran *short form of* **grande**
Granada Granada (*1. A city in Nicaragua. 2. During colonial times the vice-royalty of Nueva Granada consisted approximately of the modern states of Colombia, Ecuador and Venezuela*)
granadino -a Granadine, of Granada
granado pomegranate tree
granate garnet
grande large, great, big, grand
grandeza greatness
granito granite
gratitud gratitude, gratefulness
grato -a pleasing, pleasant
grave grave, serious
gris gray, dismal, gloomy, mournful
gritar to shout, cry
grito shout, cry
grueso -a great, coarse; **tipo —** black type
grupa croup; **a la —** behind (him), on the croup
grupo group
guaraní Guarany (*a tribe of Indians who occupied a region covering Paraguay and part of Brazil and Uruguay. They*

spoke a sweet and melodious language which is still very common even among the educated Paraguayans)
guaranítico -a Guarany
guardar to keep; guard; watch over; put away; **guárdate de ir** be careful lest you go
guardia guard
guarnecer to guard
guarnición garrison
Guatemala Guatemala (*a Central American country, rich in minerals, although its greatest exports are an excellent grade of coffee, and bananas. Area, 48,290 sq. mi.; pop., 2,119,165; capital, Guatemala City, 165,928*)
guatemalteco -a Guatemalan
guerra war; **Consejo de —** court-martial
guerrear to fight; wage war
guerrero -a martial; (*noun*) warrior
guerrillero commander (*of a skirmish force*)
guiador -a guiding
guiar to guide
gustar to please

H

haber to have (*as auxiliary*); to be (*used impersonally*); **hay** there is *or* are; **había** there was *or* were; **hubo** there was *or* were; **habrá** there will be; **habría** there would be; **ha habido** there has *or* have been; **había habido** there had been; **que haya** let there be; **no había que perder un minuto** there wasn't a moment to lose; **— de** to have to, be to; shall; **he de** I am to, I shall; **hemos de** we are to, we must; **había de** (he) was to, would; **hubiera sido** (it) would have been; **hay (había) que** + *inf.* it is (was) necessary to; **héme aquí** here I am; **he aquí** here is *or* are
hábil skilful, clever, able
habitación room
habitante inhabitant
habitar to live in, dwell in, inhabit
hábito habit, garb; **—s** clothes, dress
hablar to speak, talk
habr-á, -é, -ía, -ían *see* **haber**
hacer to do, make, cause *or* have (a thing done); build; **— el efecto de** to be like; **— guerra** to wage war; **— fusilar** to have . . . shot; **— que** to cause *or* make; **— de** to act as; **— ver** to show; **hace** *in expression of time* ago, *as* **hace un año** a year ago; **hacía algunos años** some years before; for some years; **—se** to become
hacia toward, to
hacienda estate, property; savings; farm
hacha ax
hado fate
halagado -a allured, flattered
halagar to allure, flatter, soothe
hallar to find; **—se** to find one's self; be
hallazgo find
hambre hunger
har-ás, -é, -emos, -ía *see* **hacer**
has *see* **haber**
hasta until, to, up to, as far as; even; **— que** until
hay, haya *see* **haber**

haz *impve. of* **hacer**
he *see* **haber**
hecatombe slaughter
hechicero -a charming, enchanting; (*f. noun*) charming girl, enchanting girl
hechizo fascination, charm
hecho *past part. of* **hacer**; (*noun*) deed, event
helado -a cold, frozen
héme *see* **haber**
hemos *see* **haber**
heredar to inherit
herida wound
herido -a wounded; struck, hit; (*noun*) wounded man *or* woman
herir to strike; wound; reach; jar (*the nerves*)
hermana sister
hermano brother
hermoso -a pretty, beautiful
hermosísimo -a very pretty
hermosura beauty
héroe hero
heroico -a heroic
heroína heroine
heroísmo heroism
hic-e, -ieron *see* **hacer**
hiel bitterness, gall
hielo chill, frost, ice
hierba grass
hiere *see* **herir**
hierro iron, brand
hija daughter, girl
hijo son, boy; **—s** children
hilo thread
himno hymn
hincarse to kneel
hirió *see* **herir**
hispano -a Spanish, Hispanic
historia history, story
histórico -a historic, historical
hizo *see* **hacer**
hogar hearth; home; **— paterno** home
hoguera bonfire
hoja leaf
hombre man
homenaje homage
hondo -a deep
hondonada ravine, dale
Honduras Honduras (*a country in Central America. Main exports, bananas, cocoanuts and coffee. Area, 46,250 sq. mi.; pop., 859,761; capital, Tegucigalpa, 40,000*)
hondureño -a Honduran
honor honor, glory
honradez honesty, integrity
hora hour, time; **cuarto de —** (a) quarter of an hour; **las —s idas** the hours that have passed by
horizontal horizontal
horizonte horizon
horrible horrible, terrible
horror horror, fright
horroroso -a horrible, frightful
hospital hospital
hoy to-day
hoyo hole
hubier-a, -an *see* **haber**
hubies-e, -en *see* **haber**
hubo *see* **haber**
huella trail, print, foot-print; trace, mark
huerto (truck) garden
huída flight
huir to flee, flee from; **¡huye!** flee!
humanidad humanity, humaneness
humano -a human
húmedo -a damp, moist
humilde humble
humildísimo -a very humble

humo smoke
hundir to sink; **—se** to sink
huy-e, -endo, -ó *see* **huir**

I

ib-a, -amos, -an *see* **ir**
idea idea
ideal ideal
idear to conceive
idilio idyl
idioma language
idolatrado -a idolized, beloved
ídolo idol
idos *impve. of* **ir** + **os**
íes i's
iglesia church
ignominia disgrace; **con —** ignominiously, in disgrace
ignorar to be ignorant (of), not to know; **ignórase** (it) is not known
igual similar, like, the same; **todo es —** it is all the same; **— que** just like, the same as, as if
iluminar to light, show
ilusión illusion, fancy
ilusorio -a delusive
ilustre illustrious
imagen image
imaginación imagination, fancy
imaginarse to imagine
imitar to imitate, be like
impedir to prevent, hinder
impelar to drive
imperar to reign
imperecedero -a imperishable
imperio empire, realm
implantar to implant
imponente imposing
imponer to impose (upon)
importancia importance
importar to be important, matter; **importó poco que fuese hecha o no** it mattered little whether it was made (done) or not
importuno -a importune; (*noun*) importunate one
imposible impossible; **un —** an impossibility
imposición imposition, imposing
imprevisto -a unexpected; **lo —** the unexpectedness, the suddenness
improviso -a unexpected; **de —** unexpectedly
impuesto duty, tax
impuro -a impure, foul, defiled
inaccesible inaccessible
inca Inca (*The Inca empire of Peru was one of the two semi-civilized states of America at the time of the discovery. It was conquered by the Spaniards under the treacherous Pizarro, who entered it in 1531*)
incauto -a unwary
incendiar to set on fire, set fire (to), burn
incidente incident
incienso incense
incierto -a uncertain, doubtful
inclinado -a bent, bowed
inclinar to bend, bow; lower; **—se** to bend, bow
incógnito -a unknown
inconsolable disconsolate
incontenible inconsolable, disconsolate
increíble incredible
increpación reproach
inculpar to accuse
incurrir (en) to incur, bring upon one's self
indecible indescribable
indeciso -a undecided, unsettled
indefenso -a defenseless

independencia independence
independiente independent
Indias Indies
indicado -a indicated
indicar to indicate
indicio indication
indiecita Indian girl
indiferente indifferent, unconcerned
indígena native; (*noun*) native
indio -a Indian; **india** Indian maid
indómito -a unbridled, reckless
inexorable inexorable, firm
infancia infancy; youthfulness
infantil youthful, juvenile
infelices *plu. of* **infeliz**
infeliz unhappy, unfortunate; **los infelices** the unfortunate (ones)
infierno hell
infinidad infinity; a great number
infinito -a infinite
inflamarse to become inflamed *or* excited
influencia influence
infortunado -a unfortunate
infracción infraction, offense
ingenio genius, talent, cleverness
ingeniosísimo -a very ingenious
ingenuidad frankness, candor
ingenuo -a ingenuous, open, frank
Inglaterra England
inglés, inglesa English; (*noun, m.*) Englishman
ingrato -a ungrateful; (*noun*) ingrate
inicial initial
iniciar to initiate, begin
inicuo -a iniquitous
inmediatamente immediately
inmediato -a immediate, near
inmemorial immemorial
inmensidad immensity
inmenso -a immense, great
inminente imminent
inmortal immortal
inmortalizar to immortalize
inolvidable unforgettable, imperishable
inquietarse to become uneasy, to worry
inquieto -a restless, uneasy; wavering
inquietud uneasiness
insolencia insolence
insondable unfathomable; **en lo —** in the depths
inspirar to inspire
instancia instance; **a —s de** at the request of
instantáneo -a instantaneous
instante instant, moment; **en el —** instantly, at once
instintivo -a instinctive
instrumento instrument
insultar to insult
insurrección insurrection
intelectual intellectual
inteligente intelligent
intendente superintendent, manager
intenso -a intense
intentar to attempt, intend; **sin — la salvación** without intending to save
interés interest
interior interior
intermediario intermedial, intermediate
interjección exclamation
internarse to penetrate, go into, enter
interponer to interpose, interrupt

intérprete interpreter
interpuso *see* **interponer**
intervalo interval
intervenir to intervene
interrogado -a questioned
interrogar to question
interrumpido -a interrupted; **no —** uninterrupted
interrumpir to interrupt
interrupción interruption
íntimo -a intimate; **lo —** the intimate, intimacy
intrépido -a intrepid
inundar to flood, deluge
inútil useless, vain
inútilmente uselessly, in vain
invadir to invade; come over
invasión invasion
invasor invader
inverosímil unbelievable
invierno winter
invitar to invite
invocar to invoke, implore, call upon; **se la invocaba** she was invoked
ir to go; walk; *used with pres. part. to form progressive tenses, as* **se iba olvidando** they were forgetting; **— a** to go to, go and; **— de camino** to stroll, walk; **iban formándose** kept on forming *or* being formed; **a dondequiera que fuese** wherever he went; **—se** to go away, go off, leave; **idos** go; **vete** go, go away; **que se vaya** let him go
ira wrath, anger
iracundo -a angry
irlandés -a Irish
irritar to irritate, arouse
isla island
istmo isthmus
Italia Italy
italiano -a Italian
izquierdo -a left

J

jamás ever, never; **no . . . —** never
jardín garden
jardinero -a gardener
jazmín jasmine; **de —** jasmine
jefe chief, leader, officer
Jesucristo Jesus Christ
Jesús Jesus
jíbaro (*Porto Rican term*) countryman
jinete horseman, rider
jirón piece, strip, shred
José Jose, Joseph
joven young; (*noun*) youth, young man *or* woman
jovial gay, merry
joya jewel
Juan Juan, John
júbilo joy
juego play, amusement, game
jugar to play, gamble; **jugando el todo por el todo** by taking one desperate chance
julio July
junio June
junco reed
juntar to connect, join; **—se** to join, come together; cluster
junto -a joined; **—s** together; (*adv.*) near, close; (*prep.*) **— a** near, beside, next to
jurar to swear, vow; **— por** to swear by
justicia justice
justo -a just, fair, right
juvenil youthful, of youth
juventud youth
juzgar to judge; bring to trial

K

kepí shako (*kind of stiff military cap or headdress*)

L

la the; her, it; the one, she
labio lip
labor labor, work
labrado -a carved, hewn
lado side; **al — (de)** by the side (of), beside; **al otro —** on the other side
ladrido bark
ladrillo brick
lago lake
lágrima tear
laguna pond, marsh
lamento cry, wail, lament
lampa (*Peruvian term*) grain shovel
lámpara lamp
lampo (*poet.*) light, splendor; **al primer —** at the first rays
languidez languor; dreamy indolence
lánguido -a languid
lanza lance
lanzada lance thrust, blow with a lance
lanzado -a uttered; hurled
lanzar to hurl; let out, shoot out; utter, give (*a shout*); **—se** to rush, start off; **—se a vuelo** to rush in flight
largo -a long
lástima pity, grief; **con —** pitifully
lastimoso -a sad, doleful
latino -a Latin
laúd lute
lavar to wash, bathe
lazo bond, tie
leal loyal, true, faithful
lectura reading
leche milk; **ama de —** wet-nurse
lechuza owl
leer to read
legendario legendary
legión legion
legionario legionary
legua league
lejano -a distant, far-away
lejos far, far off; **a lo —** in the distance; **— de** far from; **allá —** back there, there far away
lengua tongue, language
lenguaje language
lentamente slowly
lento -a slow, gentle
leña wood
leñador -a wood-gatherer
león lion
letra letter (*of a word*)
letrero inscription, legend
levantar to raise, lift, build; **—se** to rise, get up, stand up
leve light, slight
ley law; **en buena —** lawfully, legally
leyenda legend, story
libertad liberty, freedom; **poner en —** to set free
Libertador Liberator, Emancipator
libertar to free, set free
librar to save, free; fight (*a battle*)
libre free, unrestrained; safe
libro book
ligar to bind
ligeramente lightly, quickly
ligero -a light, slight; swift, fast
lila lilac
limeño -a native of Lima; **limeña** Lima maid
límite limit; **sin —** limitless

límpido -a clear as a crystal
limpio -a clean
lindero boundary, limit
lindeza beauty
lindo -a pretty
línea line; **batallón de —** battalion of regulars
líquido -a liquid; (*poet.*) dewy
lírica lyric
lírico -a lyric, lyrical
lirio lily
literatura literature, letters
litoral littoral, shore; **— marítimo** sea-coast
lívido -a livid
lo (*article*) the, that; (*pron.*) it, him; **— de siempre** the usual thing; as usual; **— que** that which, which, what; **de — que** than; **todo — que** everything that, all that
loba she-wolf
loco -a crazy, mad, wild; **— de** crazy with, mad from, beside one's self with; **estar como un —** to be furious
locución expression
locura madness, frenzy, fury
lodo mud
lograr to attain, win, obtain, secure; **—** + *inf.* to succeed in
loma little hill *or* ridge
luces *plu. of* **luz**
Lucía Lucia, Lucy
lucir to shine
lucha struggle, strife, battle; **sin —** without a struggle
luchar to struggle, fight, battle
luego then, afterwards, later; soon; **— que** as soon as; **desde —** at once, immediately
lugar place; opportunity, chance; **en — de** instead of; **en esos —es** in those regions, in that vicinity
lugarteniente lieutenant
lúgubre mournful, gloomy
Luisa Luisa, Louise
luna moon; **rayo de —** moonbeam; **a la —** in the moonlight; **hora de —** moonlight hour
luto mourning; **de —** in mourning
luz light; flash; **a la —** in *or* by the light; at the birth; **a cuya —** by whose light; **— de estrella** starry light

LL

llaga wound
llama flame
llamado -a called, named
llamar to call, summon; **— atención** to attract attention; **— en su auxilio** *or* **ayuda** to call to one's aid; **—se** to be called; **se llama** he (she, it) is called; **se le(s) llamaba** was (were) called; **¿cómo se llama?** what is his name?
llano plain
llanto weeping, tears; **deshecho en —** having given way to tears
llanura plain; plane surface
llave key; **bajo —** under lock and key
llegada arrival
llegado -a arrived; **—s** having arrived, when they had arrived; **el recién —** the recent arrival, newcomer
llegar to come, arrive (at); reach; **al —** upon arriving; **— a ser** to come to be, become; **— a** to succeed in,

come to, reach; begin; go so far as to
llegué *see* **llegar**
llenar to fill; **— de** to fill with
lleno -a full; **— de** full of, filled with; **de —** fully, outright; **alcanzar de —** to strike a full blow
llevar to carry, bear, take, take away; raise; **— consigo** to take *or* bring along, carry away; **— a cabo** to carry out; **como seis meses llevaban ya de sitio** the siege had already lasted about six months; **—se** to carry off, carry away
llorar to cry (for *or* over), weep, mourn
lloriquear to snivel; drip (*of water*)
lloroso -a tearful, weeping
llover to rain
llueve *see* **llover**
lluvia rain, showers
lluvioso -a rainy

M

m. *abbreviation of* **murió**
macilento -a wan; (*poet.*) dark, gloomy
madera wood
madre mother
madrugada early morning, dawn
maduro -a ripe, mature
maestro master, teacher
mágico -a magic; (*noun*) magician
magnífico -a magnificent, splendid
magnitud magnitude, rank
mainumbí (*Guarany term*) humming-bird
majestad majesty, grandeur, loftiness
majestuoso -a majestic, grand
mal (*noun*) evil, harm, ill; **ir a —** to fail; (*adj.*) *short form of* **malo**; (*adv.*) ill, badly
maldito -a accursed
malhechor malefactor
malinche (*Aztec term*) maid, young woman
malo -a bad, evil, unfortunate, wicked; **estar —** to be ill; **mala arte** black art, witchcraft, witchery
maltratar to abuse, spoil; damage, mistreat
malvado -a wicked
manantial spring
mancebo young man
mancha spot, stain; **sin —** stainless
mandar to order, command; send; **— asesinar a . . .** to order . . . to be killed; **— hacer** to have . . . done; **— decir** to send word, to have . . . said; **— . . . fusilar** to have . . . shot, order . . . to be shot
mandioca yucca, manioc (*yields tapioca*)
mandil workman's apron; **— ceñido** with his apron on
mando command; **al — de** under the command of
mandria coward
manecita little hand
manejar to handle
manera manner, way, fashion; **de — que** so that; **a — de** in the manner of; as; for; **de tal —** in such a manner, to such an extent; **de distinta —** in a different way
mango mango-tree (*a tropical tree, bearing a yellowish fruit*)

maní (*Guarany term*) peanut
manifestar to express, tell
manifiesto -a manifest, evident, clear; **poner de —** to make evident *or* plain
maniobrar to manoeuver
mano hand; **de la —** hand in hand; **en —s de** in the hands of, in the power of; **poner —s a la obra** to set to work; **dar la última —** to put on the finishing touches; **a —** by hand
manotón blow with the hand
mansedumbre peacefulness
mantener to maintain, keep; **se debía — . . . . . .** was to be maintained; **—se** remain; **—se distante** to keep aloof
manto mantle, cloak
mañana morning; **de la —** in the morning; **a la — siguiente** the following morning; (*adv.*) to-morrow
mar sea
maravilloso -a marvelous, wonderful
marcado -a branded, marked
marcar to brand, mark; **sin — tu huella** without leaving a trace
marcha march, course, journey
marchar to walk, go, march; **—se** to depart, go away
margen bank; margin
María Maria, Mary
marino -a marine, sea, of the ocean
mariposa butterfly
marisma marsh
marítimo -a (of the) sea; **litoral —** sea-coast
mármol marble
marqués marquis
mártir martyr
martirio martyrdom; punishment
mas but
más more, most, the most; **— de** more than; **— . . . que** more than; **— de lo que** more than; **por — que** however much; **no . . . — que** nothing but, only; **cada vez —** more and more; **un — allá** another world, the next world
masa mass; **en —** in a mass
matanza slaughter, massacre
matar to kill; **¡matarle!** kill him!
mate faded, dull
matiz hue, tint
Mauricio Mauricio, Maurice
mayo May
mayor greater, greatest; older, oldest; main, chief
me me, to me, for me, from me; myself
mecha wick, cord, match
mediados: a — de about the middle of
mediano -a middle; moderate, medium
médico physician
medida measure; **a — que** as, in proportion as
medio middle, midst; means, way; **no hubo —** there was no way; **en — de** in the midst of, amidst, in the middle of; **por — de** by means of
medio -a (a) half; media noche midnight; **media hora** half an hour; **a medias** by halves; half way
mediodía midday, noon
medir to measure
meditabundo -a meditating

meditar to meditate (on), muse upon
mejilla cheek
mejor better, best
melancolía melancholy, despondence
melancólicamente sadly
melancólico -a melancholy
melena long locks of hair
melodía melody
memoria memory
menor less, least; slightest
menos less, least; except; **a — que** unless; **a — que no fuera** unless it were
mensajero messenger
mente mind
mentir to feign, pretend; lie
menudo -a small, slender; **a —** often, frequently
merced grace; favor; **— a la cual** thanks to which, by means of which, through which
merecer to merit, deserve
mes month
mesa table
mestizo -a half-breed
metralla grape-shot
metrópoli mother-country
mexicano -a Mexican
México Mexico (*Mexico is preëminently a mining country. Two thirds of its mineral output are gold and silver. The cattle industry is also very important. Area, 767,097 sq. mi.; pop., 16,000,000; capital, Mexico City, 1,003,443*)
mezcla mixture, mingling
mi my
mí me, myself
midió *see* **medir**
miedo fear; **tener — de** to be afraid of, fear
miel honey; **sol de —** golden sun
mientras while; **— que** while
mil (a) thousand; **—es** thousands
milagro miracle
milagroso -a miraculous
militar military; (*noun*) military man, soldier
milla mile
mimar to pet, fondle
mina mine
minuto minute
mío -a mine, of mine; my, my own; **los —s** my men; **un . . . mío** a . . . of mine
mirada glance
mirar to look (at), behold, regard; (*noun*) look, glance
mirto myrtle
misa mass
miserable miserable, wretched, unfortunate; (*noun*) wretch, unfortunate man
misericordia mercy, clemency
mísero -a miserable, wretched, poor
misionero missionary
mismo -a same, very; self, himself, herself, itself; **lo — que** the same as, like; **allí —** in that very spot; right there, then and there
misterio mystery
misterioso -a mysterious
misteriosamente mysteriously
mitad half, middle
Moctezuma Montezuma
modesto -a modest, unpretending
modificar to modify, change
modismo idiom
modo way, sort, manner; **sin — de** unable to; **de — que,** so

that; **de tal —** in such a way; **de un — tan extraño** in such a strange way
molestar to trouble, disturb
molestia trouble, bother
momento moment; **en aquel —** at that moment; **en el — aquél** at that moment; **en estos —s** during this time
monárquico -a monarchical
moneda coin
monótono -a monotonous
monstruo monster
montaña mountain
montañero -a (of the) mountain
montañoso -a mountainous
montar to mount, ride
monte mountain, woods
Montevideo Montevideo (*capital of Uruguay*)
mora mulberry; **color de —** dark purple
morada dwelling, resting-place
morador -a dweller, inhabitant
morar to live, dwell
mórbido -a morbid
mordaz biting, piercing
moreno -a dark; brown; **— pálido** light brown
moribundo -a dying; (*noun*) dying person
morir to die; perish; sink (*of sun*); **— asaeteado** to be shot to death with arrows; **viéndose —** being on the point of death; **muerta su madre** her mother having died
moro -a Moor, Moorish (*The Moors are indifferently called Arabs or Saracens. They crossed into Spain from Africa in 711 and dominated a large part of the peninsula for seven centuries*)
morrión steel helmet
morro headland, bluff
mortandad mortality, casualty
mortífero -a death-dealing, deadly
mostrar to show
motivo motive, reason
mover to move; **—se** to move
movimiento movement; **ponerse en —** to start, move
mozo youth
muchacha girl
muchacho boy
muchedumbre crowd, throng
muchísimo -a very much
mucho -a much, a great deal (of), great; **—s** many; (*adv.*) a great deal, greatly, very much
mudo -a mute, silent, hushed
muer-e, -en, -o *see* **morir**
muerte death; **de —** mortal, deadly, fatal; **dar — a** to kill
muerto -a (*past part. of* **morir**) dead, died; (*fig.*) gone by, languid, " dead tired "; (*noun*) dead person, corpse; **muerta su madre hacía algunos años** her mother having been dead for some years
muev-as, -e *see* **mover**
mujer woman, wife
mulato -a mulatto; negro (*in Costa Rica*)
multitud multitude, throng, crowd
mundo world
muralla wall, rampart
murallón thick wall
Murcia *province in southeastern Spain*
mur-ieron, -ió *see* **morir**
murmullo murmur, ripple
murmurar to murmur

muro wall
musculatura muscles
música music
músico musician
mustio -a sad, dreary; languid, pale
muy very, very much

N

nácar pearl, pearl color
nacer to be born
nacido -a born
nacimiento birth
nación nation
nacional national
nada (*noun*) nothingness, nothing
nada nothing; **no . . . —** not . . . anything; **no poder —** to be helpless, be unable to do anything
nadie nobody, no one; **no . . . —** not . . . anyone
Napoleón Napoleon
Nápoles Naples
narración narrative, story
natal native
natura (*poet.*) nature
natural natural; (*noun*) native
naturaleza nature
navegante navegator
navegar to navegate
neblina mist, fog
necesario -a necessary
necesidad need, necessity; **verse en la — de** to be constrained to, see one's self forced to
necesitar to need; **se han necesitado** have been necessary
negar to deny, refuse
Negrita little negress, " Blacky "
negro -a black, dark; (*noun*) negro; blackness, darkness
negror blackness
nervio nerve
nervudo -a vigorous, strong
nevado -a snow-capped
nevar to snow
ni nor, not even, neither; **— un solo** not even one
Nicaragua Nicaragua (*the largest country in Central America, in area. Its principal industry is agriculture. Its leading exports are coffee and bananas. Area, 49,200 sq. mi.; pop., 689,891; capital, Managua, 45,000*)
nicaragüense Nicaraguan
niega *see* **negar**
niev-a, -e *see* **nevar**
nieve snow
ningún *short form of* **ninguno**
ninguno -a no, not any, not one; *with a neg. or after a comp.* any; (*pron.*) no one, none, not . . . anyone
niña girl, little girl
niñez childhood
niñita little girl
niñito little boy
niño child, little boy
nítido -a clear, pure, beautiful; (*poet.*) bright
níveo -a snowy; **lo —** the snowy whiteness
no no, not; **— . . . más** no longer, no more, any longer, any more; **— . . . siquiera** not even; **— . . . sino** only; **. . . que — . . .** rather than
nobilísimo -a most noble, very noble
noble noble; (*noun*) nobleman
nobleza nobility
nocturno nocturne (*a poem of a dreamy character, depicting a*

scene by night, or suitable to evening or night thoughts)
nocturno -a nocturnal, (of) night
noche night; **por la —** at night, during the night; **esta —** this night, to-night; **de —** at night; **media —** midnight; **día y —** night and day
nodriza nurse
nombrar to name, mention the name of
nombre name, **con el —** by the name; **con otro —** under another name; **dar por —** to name, give as a name
nordeste northeast
normal normal
noroeste northwest
norte north; north star, guiding-star
norteamericano -a North American
nos us, to us, for us, from us, ourselves
nosotros -as we; us
nostalgia nostalgia, longing
nota note, tone
notable notable, famous, remarkable
notar to notice, observe, note
nótese *impve. of* **notar**
noticia notice, news; **al tener —s** on receiving the news
novicio novice
novia sweetheart, bride
noviembre November
novio sweetheart, lover
nube cloud; **sin —s** cloudless
nubecilla little cloud
nublado -a clouded, blurred; cloudy
nuestro -a our, ours
nuevo -a new; **de —** again, once more
número number; **gran —** a large number
nunca never; **no . . . —** never; **más . . . que —** more . . . than ever
ñandutí *name of a delicate, handmade lacework, which resembles the weaving of the white spider of the same name. It is made in Paraguay. The term is Guarany*

O

o or; **— . . . —** either . . . or
¡o! oh! O!
obedecer to obey
obispo bishop
objeto object
obligación obligation, duty
obligar to force, oblige
obra work
obrar to perform, work
obrero workman
obscurecer to obscure, darken
obscuridad darkness
obscuro -a dark, obscure; **entre — y claro** between light and dark
observación observation, remark
obstáculo obstacle
obstante: no — notwithstanding, in spite of, nevertheless
obtener to obtain, receive, get
obtuvo *see* **obtener**
ocasión occasion, opportunity
ocasional opportune
occidente occident, west
océano ocean
octubre October
ocultar to hide, conceal
oculto -a hidden, concealed
ocupar to occupy; **— su puesto** to take one's place; **—se de** to

busy one's self with, be busy with
ocurrido -a happened; **lo —** what has (had) happened
ocurrir to occur, happen, go on; **tal ocurre** such is the case
ocho eight; **a las — y media** at half past eight
odiar to hate
odio hatred
odioso -a hateful, hated, detestable
oeste west
oferta offer
oficial official; (*noun*) officer, official
oficio work, office, trade
ofrecer to offer
¡oh! oh!
oído hearing, ear; **dile al —** whisper in her (his) ear; **dar —s** to give heed, pay attention
oigo *see* **oír**
oír to hear, listen (to); **habiendo oído hablar a . . .** having heard . . . speak; **se oía** one could hear; **se oyó como . . .** something like . . . was heard; **oye** listen; **oiga** listen; **óyeme** listen (to me); **oyera, oyese** should hear, heard, *etc.*
ojeada glance; **de una —** at a glance
ojito little eye
ojo eye; **unos —s** a pair of eyes
ola wave
oleada (large) wave, swell
olor odor, smell, scent
oloroso -a (a) fragrant (with), smelling (of)
olvidar to forget; **se iba olvidando** they (people) were forgetting; **que se le olvidaron a . . .** which . . . forgot
omnipotente omnipotent, almighty
once eleven; **las —** eleven o'clock
onda wave
opaco -a opaque, thick
oponer to oppose; **— resistencia** to offer resistance
oportunidad opportunity, occasion
oportuno -a opportune
oprimir to oppress
opuesto -a *past part. of* **oponer;** (*adj.*) opposite
opusieron *see* **oponer**
ora now
oración prayer; **la — de la tarde** evening prayer
orador orator
orden *m.* order; *f.* command, order, class; **a las —es de** under, under the command of
ordenanza ordinance
ordinario -a ordinary, usual; **de —** ordinarily
organizar to organize
orgullo pride
orgulloso -a proud
oriental eastern
origen origin
original original
orilla shore, edge, bank; **a —s de** on the banks (shore) of; **a la —** on the bank (shore)
oro gold; **de —** of gold, golden; **sol de encendidos —s** bright golden sun
ortográfico -a orthographical
oruga rocket (*an herb of the mustard family*)
os you, to you, for you, from you
otro -a other, another, different

oy-e, -eme, -endo, -ese, -era, -eron, -ó *see* **oír**

P

pabellón banner, flag, colors
paciencia patience
paciente patient
Pacífico Pacific
pacífico -a peaceful
pacto pact, agreement
padre father
padrino godfather
pagar to pay (for)
página page
país country, land
paisaje landscape
pájaro bird
pajizo -a made of straw, straw
palabra word
palacio palace
palidez pallor, paleness, lightness (*of color*)
pálido -a pale
palma palm
palmera palm-tree
paloma dove
palpitación throb, beat
palpitar to throb, beat
Panamá Panama (*While stock-raising is extensively carried on, the chief exports are bananas, cacao and hides. Area, 33,667 sq. mi.; pop., 467,459; capital, Panama, 59,458*)
panameño -a Panaman
panorama panorama
paño cloth
papel paper
par equal; **al —** at the same time
para for, in order to; **— no volver a . . .** never to . . . again; **— que** in order that
Paraguay Paraguay (*It is preeminently an agricultural and stock-raising country. The principal exports are Paraguay tea (yerba mate) and quebracho wood. Area, 160,000 sq. mi.; pop., 800,000; capital, Asunción, 90,000*)
paraguayo -a Paraguayan; *f.* Paraguayan maid
paraíso paradise
paraje place, spot
parar to stop; **—se** to stop
pardo -a gray; (*in Costa Rica*) brown, colored, mulatto
parecer to appear, seem (like); **al —** apparently, seemingly
parecido -a similar, alike
pared wall
pareja pair
pariente relative
parlamentario spokesman, emissary
parroquial parish
parte part, side; **por (en) todas —s** on all sides, in all directions; **por diez —s** on *or* in ten sides; **la mayor — (de)** the greater part (of), most; **tomar —** to take part
participar to inform (of); **se le participaba** he was (being) informed (of)
partida party
partido advantage; **sacar el —** to derive *or* get the advantage
partir (de) to leave, depart, go away, go off; come out; rend, cleave, split; **al —** on leaving *or* departing; **partamos** let us leave
pasadizo passageway
pasado -a past, passed; which has passed *or* gone by

pasar to pass, move, cross, go by, go around; occur, happen; spend (*of time*); — **por las armas** to execute, shoot; **habrían pasado como cinco días** about five days must have passed
pasearse to take a walk, walk; parade
pasión passion, love, affection
paso step, tread, pace; passage, way; gait; **al —** without delay, at once; **— a —** slowly; **en** *or* **a su —** in *or* on his (their) way; **a pocos —s** a few paces away; **abrirse —** to open one's way; **cerrar —** to block the way, block the advance; **a — de carga** charging; **a su —** when *or* as she (he) passed (passes) by
pastora (*Costa Rican term*) poinsettia
pastoral pastoral
patentizar to bespeak, evidence, be proof of
paternal paternal, of one's father
paterno -a paternal, of one's father
patíbulo scaffold, gibbet
patio court-yard, court
patria native country, fatherland
patriarcal patriarchal, archiepiscopal
patriota patriotic; (*noun*) patriot
patriótico -a patriotic
patriotismo patriotism
patrón, patrona patron saint
pavor fear, terror
paz peace
peculiar peculiar
pecho chest, breast, bosom; (*fig.*) heart
pedazo piece, bit, shred
pedir to ask, ask for, beg, demand
pegar to stick, fasten; to set (*fire*)
peligro danger
pelo hair
pelotón platoon, squad
pena sorrow, grief, trouble; penalty, sentence, punishment; **valer la —** to be worth the trouble *or* effort; **a duras —s** with great difficulty
penetrante penetrating
penetrar to penetrate, stick out
península peninsula
pensador thinker
pensamiento thought
pensar to think, think of, intend; **— en** to think of; **así lo pensó . . .** that is what . . . thought
pensativo -a pensive, thoughtful, grave
pensil enchanted garden
peña rock, cliff; **—s abajo** down the cliffs
peñascal rocky hill
peñasco cliff
peñón large rock, rocky mountain
pequeñito -a tiny, little
pequeño -a small, little
perder to lose, waste; **— el recuerdo** to forget; **—se** to disappear
perdonar to pardon, spare
perecer to perish
peregrinación pilgrimage
peregrino -a strange
perennemente continuously
perentorio -a urgent, pressing

perfección perfection
perfectamente perfectly
perfecto -a perfect
pérfido -a perfidious, treacherous
perfume perfume, sweet scent
periodista journalist
perla pearl
permanecer to remain
permanente permanent
permiso permission
pero but
perpendicular perpendicular
perplejo -a perplexed
perro dog
perseguido -a pursued; (*noun*) pursued person
perseguidor pursuer
perseguir to pursue, follow
persona person, body; **—s** people; **todas las —s** everybody
pertenecer to belong
pertinaz persistent, stubborn
perturbar to perturb, disturb
Perú Peru (*Mining is the great industry of Peru. The principal metal mined is copper. Important exports are copper, silver, petroleum and sugar. Area, 532,647 sq. mi.; pop., 6,237,000; capital, Lima, 265,000*)
peruano -a Peruvian
pesadilla nightmare
pesado -a heavy, tedious; slow, sluggish
pesadumbre sorrow
pesar grief; **a — de** in spite of; **a — de que** in spite of the fact that
pesar to weigh; **lo que pese** what she weighs, her weight
pesca fishing
peso burden, weight; dollar
pétalo petal
piadosamente piously
piadoso -a pious
picaflor humming-bird
pícaro scoundrel
pico peak
pid-iendo, -ió *see* **pedir**
pie foot, base; **de —** standing; **a —** on foot; **ponerse de —** to get up on one's feet
piedad pity, mercy; **sin —** mercilessly; **por —** for pity's sake
piedra stone
piel skin
piens-a, -o *see* **pensar**
pieza room
pilar pillar
pillaje pillage
pino pine
pinoganero -a of Pinogana, native of Pinogana
pintar to paint, depict
pintoresco -a picturesque
piña pineapple
piquete picket, detachment
piragua (*a sort of*) canoe
pirata pirate
pirí (*Guarany term; a sort of*) reed
piripotí (*Guarany term*) flower of the *pirí*
Pirro Pyrrhus (*king of Epirus from 295 B.C. to 273 B.C.*)
piso floor, surface, road-way
placentero -a pleased, joyous
placer pleasure
plácido -a placid, mild
plan plan
planicie plain
planta plant
plantar to plant, implant, set
plantío plant

plata silver, silvery surface
plática conversation
playa beach, shore
plaza place, plaza, square; fortified town *or* city
plegaria prayer
plenilunio full moon
pleno full
plomo lead; **caer a —** to fall flat
pluma feather, plume
plumado -a plumed
plumaje plumage
población town
poblado town
pobre poor, unfortunate, miserable
pobreza poverty
poco -a little; **—s** few; (*adv.*) **un —** a little; somewhat; **un — de** a little; **— antes** a short time before
poder power; capability, ability; control
poder to be able, can (could, might, must); **nada contra él podían** they were helpless against him; **no habiendo podido** not having been able; **sin que pudiesen obtener** without their being able to get
poderoso -a powerful, great
podr-é, -ía, -ían *see* **poder**
poesía poetry
poeta poet
política policy
político -a political; (*noun*) statesman
polvo dust
pólvora gunpowder
pompa pomp
poner to put, place, set; send forth, spread; **— a flote** to set afloat; **— de manifiesto** to make evident, make clear; **— de relieve** to make evident, bring out prominently, prove; **— en libertad** to set free; **— fin** to put an end; **— la última mano** to put on the finishing touches; **— manos a la obra** to set to work; **— sobre las armas** to put under arms, call to arms; **—se** to place one's self, become, set (*of sun*); **—se a** to begin (to), set out (to); **—se de pie** to get up on one's feet, stand up; **pero para —se de pie** only to get up again; **pónga(n)se** put
ponga, pónga(n)se *see* **poner**
popular popular
popularísimo -a very popular
poquito little, a little bit
por by, through, at, for, to, along, on account of, for the sake of, over, down; **— él** for his sake; **¿— qué?** why?; **— eso** for that reason, that is why; **— diez partes** on ten sides; **— los años de . . .** in *or* about the year . . .
pormenor detail
porque because
portador bearer
portar to carry
portátil portable, movible
pórtico portico; introductory poem
Portugal Portugal
portorriqueño -a Puerto Rican
porvenir future
pos: en — de after, in pursuit of; **uno en — de otro** one after another
poseedor possessor, owner
poseer to possess, own
poseyendo *see* **poseer**
posición position

postrero -a last
potente powerful
pradera meadow
prado meadow
preciado -a valuable, treasured
precioso -a precious
precipitadamente hastily, quickly
precipitar to rush, drive headlong; lash
precursor forerunner
predilección predilection
predio farm, country place
preferir to prefer; **— . . . que no** to prefer . . . rather than
prefiere *see* **preferir**
prefir-iendo, -ió *see* **preferir**
pregunta question
preguntar to ask
premio reward; **en — (de)** as a reward (for)
prenda pledge, token
prendarse de to fall in love with, be smitten by
prender to seize; **¡prenderle!** seize him!
preparar to prepare
preparativo preparation
presa prey
prescripción prescription, requisite
presagio presage, omen
presencia presence; **en — de** in the presence of, before; due to; **a la — de** in the presence of, before
presenciar to witness, see
presentar to present; **—se** to appear; offer itself *or* one's self
presente present
presentimiento presentiment
presentir to feel in advance, have a foreboding of, foresee, forebode
presidente president
presión pressure
preso -a *past part. of* **prender;** (*noun*) prisoner
prestar to lend; **—se** to offer one's self
prestigioso -a famed
presto quickly
presumir to presume; **era de —se** it was to be presumed
presuroso -a hasty
pretexto pretext
pretil breastwork
prevenir to forewarn, notify; instruct
prever to foresee
previniéndoles *see* **prevenir**
primavera spring; springtime; (*poet.*) youth; **— pasada** one's youth which has gone by
primaveral (of) spring, springlike
primer *short form of* **primero**
primero -a first; former; leading
primitivo -a primitive, early
primor elegance, charm
primoroso -a elegant, fine, charming
principal principal, main, chief
principio beginning; **a —s** at the beginning
prisa haste; **a toda —** with full speed; **a —** in a hurry
prisionero -a prisoner
privar to deprive
proceder to proceed; date
procesión procession
proclama proclamation
proclamar to proclaim
procurar to try; **sin —lo** without trying to do so
prodigio prodigy, wonder, marvel, miracle

prodigioso -a prodigious, marvelous; extraordinary
pródigo -a liberal, generous, munificent
producir to produce, cause
producto proceeds, earnings
produjo *see* **producir**
proferir to utter
prófugo fugitive
profundidad depth(s)
profundo -a deep, profound
progreso progress
promesa promise, vow
prometido betrothed
pronombre pronoun
pronto -a ready, quick, soon, sudden, prompt; (*adv.*) suddenly, soon, quickly; **de —** at once, immediately, suddenly, quickly
pronunciar to speak, announce; declare
propicio -a propitious, favorable
propietario landlord, land owner
propio -a own; characteristic
proposición proposal
propósito purpose, intention; **a —** adequate, suitable, opportune
prorrumpir to break out, burst
proseguir to continue, follow, pursue
prosigu-e, -ió *see* **proseguir**
prosista prose writer
protección protection
protector protector, guardian
proteger to protect, shield
protegido -a protected, shielded
protesta protest, solemn promise
protestar to protest
providencia gift of providence, godsend
provincia province
provisional provisional
provocar to provoke, arouse
proximidad proximity, nearness
próximo -a near, near-by, next; neighboring; **estar — a** to be on the verge of
proyectado -a sketched, outlined, projected
proyectarse to project itself (*as a shadow*)
proyectil projectile
proyecto plan
prueba proof, test; **poner a —** to put to a test
pud -e, -iendo, -iera, -ieron, -o *see* **poder**
pudoroso -a modest, bashful
puebla (*obsolete*) town, village
pueblecito little town, little village
pueblito little town, little village
pueblo people, population, town; **— ribereño** river town
pued- e, -o *see* **poder**
puente bridge
puerta door, entrance
puerto port
Puerto Rico Puerto Rico (*a dependency of the United States. Its principal products are coffee, sugar and tobacco. Area, 3,435 sq. mi.; pop., 1,543,913; capital, San Juan, 114,715*)
pues for, since, then; **— que** since, as
puesta setting (*of sun*); **— del sol** sunset
puesto -a (*past part. of* **poner**) put, placed; **— que** since; (*noun*) post, place, position; **ocuparán su —** will take their place(s)
puna (*Peruvian term*) *a lofty, bleak region of the Andes, uninhabitable through cold*

punta point, edge, end
puntiagudo -a sharp, sharp-pointed
punto point, spot, place; instant; **hasta el — de** to the point of; **de —** visibly, perceptibly; **al — mismo** the very instant
puñal dagger
puñalada stab with a dagger, dagger thrust; **a —s murió** he was stabbed to death
pupila pupil (*of the eye*), eye
puro -a pure
púrpura purple-shell, purple
pus-e, -ieron, -o *see* **poner**

Q

que (*conj.*) that; for; (*after comp.*) than; (*with 3d per. pres. subj.*) let; **preferir . . . — no** to prefer . . . rather than
que (*rel. pron.*) who, whom, which; **el —** *etc.* he who, the one who, *etc.;* **lo —** what, that which, which
qué (*interr.*) what; **por —** why; (*excl.*) what, what a, how
quebrada crevice
quedar to remain, stay; be; **—se** to remain, be left behind; be
quedo softly
queja plaint
quejar to complain
quejido moan, moaning
quemar to burn
querella complaint, lament, plaint
querer to wish, will, want, desire, like, love; **quiso la suerte** fate willed it
querido -a dear, beloved
quetzal *a relatively small bird, with wing-coverts of a peacock green turning to indigo, inner breast scarlet, and wings very dark. It is decidedly a bird of freedom and will not live in captivity. In the olden days none but the royal family could wear the beautiful plumes, which sometimes exceeded three feet in length*
quien who, whom, he who, *etc.;* **a —** to whom, whom; **de —** whose
quién who; **a —** whom, to whom; **de —** whose
quier -e, -o *see* **querer**
quietud quiet, calm, peace of mind
quince fifteen
quisqueyano -a Quisqueyan (*native of Quisqueya, aboriginal name of the Dominican Republic*)
quiso *see* **querer**
quitar to take (away), take (off); **—se** to take off
quizá perhaps
quizás perhaps

R

rabia rage, madness
radiante (de) radiant (with)
radical root, root-vowel
rama branch
ramaje branch
ramillete bouquet
rancio -a very old, ancient
rápidamente rapidly, quickly
rapidez rapidity, speed; **con —** quickly
rápido -a rapid, fast
raptor abductor
raro -a rare, strange; **—a vez** rarely

rasgado -a large, big (*of eyes*)
rasguño scratch
raso satin
rastro trace, vestige
rato while, time; moment
raudal torrent, stream; **a —es** in torrents
raya blank
rayo ray, beam
raza race
razón reason
real (*adj.*) royal; (*noun*) camp
realidad reality; **en —** in reality, really
realista (*adj. and noun*) royalist
rebelarse to rebel
rebelión rebellion
rece *see* **rezar**
receloso -a suspicious
recibir to receive; meet; **después de ser recibido** after having been received
recién recent; **— llegado** recent arrival, newcomer
recio -a strong, vigorous, severe, heavy
reclinar to recline, lean
recodo turn, bend
recoger to gather, get, pick, take up; shelter, protect
reconocer to recognize
reconocimiento appreciation
recordar to recall, remember
recorrer to travel over, run over, traverse
recto -a straight, upright; fair
recuerdo memory, recollection, remembrance; **perder el —** to forget
rechazar to spurn, reject, repel
red web, net
redor: en — round about, around
reducto redoubt
reemplazar to replace
referir to relate, tell, describe
refiere *see* **referir**
refirió *see* **referir**
reflejar to reflect
regado -a watered
regalar to present with, give, make a present of
régimen regime, reign, rule; (*gram.*) object
región region
regir to rule, govern
registrar to record
regocige *see* **regocijar**
regocijar to cheer, gladden
regocijo joy
regresar to return
reina queen
reinar to rule, reign
reino kingdom
reír to laugh
reja iron grating (*placed outside windows on the ground floor*)
relámpago flash (of lightning)
relativo -a relative, comparative; **— a** in regard to, around
relato story, narrative
relevar to relieve
relieve relief; **poner de —** to accentuate, bring out (prominently), make evident, give proof of
religioso -a religious
reliquia relic
reluciente shining
remar to row
rematar to put an end to
remate abutment
remedar to imitate
remedio remedy, cure
remontar to go up, ascend; soar; **—se** to soar
remoto -a remote

rencilla grudge, animosity; **—s de amor propio** selfish animosity
rendija crack
rendir to conquer, overcome, surrender; render, give up, pay
renombre fame, glory, renown; **de gran —** famous, great
renovar to replenish
reñir to quarrel
reparación repair
repente sudden; **de —** suddenly, unexpectedly
repentino -a sudden
repercutir to reverberate
repetido -a repeated, frequent
repetir to repeat
repicar to ring; (*noun*) ringing, pealing
repit-e, -es, -ieron, -ió *see* **repetir**
replicar to reply
reponer to recover; (*in pret. tense*) answer; **—se** to recover; **repuesto** having recovered
reportar to bring, obtain
representar to represent
república republic
republicano -a republican, of the republic
repuesto -a *past part. of* **reponer**
repugnancia repugnance
repuso *see* **reponer**
requiebro compliment, flattery
rescatar to ransom, redeem; rescue
rescate ransom
resignación resignation, patience
resistencia resistance, opposition; **oponer —** to offer resistance
resistir to resist, oppose
resolución resolution, decision
resolver to resolve, determine
resonancia resonance, sound
resonar to sound, resound
respirar to breathe
resplandecer to glitter, glow, shine
resplandor splendor
responder to answer
responsabilidad responsability
respuesta reply
restituído -a restored, given back, recovered
restituir to give back
resto remainder, rest; **—s** remains
resueltamente resolutely
resuelto -a resolved, resolute, determined
resultar to follow, proceed from
retener to hold
retirada retreat, call to quarters
retirar to withdraw; **—se** to retire
retorcido -a twisting, meandering, winding
retratar to portray, draw
retrato portrait, picture
retroceder to draw back, retreat
retumbando pompous, resounding
retumbar to resound
retuvo *see* **retener**
reunión assembly, meeting
reunir to reunite; **—se** to assemble, meet
reverencia reverence, devotion
revivir to live again
revocar to revoke
revolución revolution
revolucionario -a revolutionary; (*noun*) revolutionist
revolver to cast around
rey king

rezar to pray
ribera bank, shore
ribereño -a of the bank; **pueblo —** river village
rico -a rich
ríe *see* **reír**
rifle rifle
rígido -a rigid
rima rhyme
rincón corner
rind-e, -iera, -ieron *see* **rendir**
riña quarrel, fray
río river
rioplatense of the Rio Plata, Plata River
riqueza wealth, riches
risa laughter
risco crag
risueño -a smiling, happy
rival rival
rivalidad rivalry
robar to rob (of), steal, kidnap
roca rock
rocío dew; spray
rodar to roll; **— por tierra** to roll on the ground
rodeado -a (de) surrounded (by)
rodear to surround
rojo -a red
Roma Rome
romano -a Roman
romance ballad
romanza romance (*musical*)
romper to break
ronco -a hoarse, harsh, grating
rondel rondel (*a lyric of 14 lines, with two rhymes, whose theme is repeated several times*)
ropa clothing, clothes
rosa rose; **de —** rosy, pink; **el — = el color de —** pink; **el rosa-lila** the pink and lilac
rosado -a rosy
róseo -a rosy
rostro face, countenance
roto -a (*past part. of* **romper**) broken
rubicundo golden-red
ruego entreaty, prayer
rugido roar
ruina ruin
ruinoso -a ruinous, destructive
ruiseñor nightingale
rumor sound, noise, murmur, rumor
rumoroso -a murmuring
ruta way, route

S

saber to know, know how; be able; learn (of); **nada se supo** nothing was known; **se sabía** they knew; **por no se sabe qué . . .** for some unknown . . . ; for some . . . or other; **si lo supieras** if you only knew; (*noun*) knowledge
sabido -a known, well-known
sacar to take out, draw out, pull out; **— partido** to gain advantage, to profit
sacerdote priest
sacristán sacristan
sacrosanto -a sacred
sacudir to shake, shake off
saeta arrow, dart
sagrado -a sacred
sagrario sacrarium (*place in the church where the Consecrated Host is kept*)
sal *impve. of* **salir**
sal salt; (*fig.*) grace, wit
sala room; **— de baile** dance hall; **— de armas** armory
Salamanca Salamanca (*city and province in western Spain. Its university was very famous during the Middle Ages*)

salgo *see* **salir**
salida departure; outlet, exit; sally
salir to go *or* come out, depart, leave; **— a los labios** to rise to the lips; **¿salgo?** shall I go out?; **antes de que saliera** before he left; **— al encuentro** to go *or* come out and meet; **— fuera de** to go out of, go from
salitre saltpeter
salitrería saltpeter field
saltar to leap, spring; **— a** to leap to *or* into
salto spring, leap, jump; **de un —** with a bound
saludar to greet, salute
salvación salvation, saving; **la — nacional** national reconstruction; **sin intentar la —** without intending to save
salvador saviour, saver
Salvador Salvador (*the smallest of the American republics. The staple product of the country is coffee. Area, 13,173 sq. mi.; pop., 1,700,000; capital, San Salvador, 96,477*)
salvadoreño -a Salvadorian
salvaje savage, wild; primitive
salvar to save
salvo -a safe; exempt; **quedar —** to be exempted
San Saint
sangre blood
sangriento -a bloody
San Martín *José de San Martín, a distinguished general who shares honors with Bolivar as the champion of South American independence* (*born in Argentina in 1778 and died in Paris in 1850*). *He was the Liberator of Argentina and Chile, and helped drive out the Spaniards from Peru and Bolivia*
sano -a well, healthy, sound; **— y salvo** safe and sound
santidad saintliness; **— de albura** spotless saintliness
Santísimo -a Most Holy, Most Sacred
santo -a holy, blessed; (*noun*) saint
Santo Domingo St. Dominic (*b. 1170—d. 1221. Founder of the order of the Dominicans*)
sargento sergeant
Satanás Satan
sauce willow
sazón season; time; **a la —** at that time
se himself, herself, itself, yourself, themselves, yourselves, each other, one another; one, we, you, they, people; **—** + *active verb = substitute for the passive voice, as* **se escuchaba** was heard, could be heard
sé *impve. of* **ser**; *also 1st per. sing. pres. ind. of* **saber**
sea *pres. subj. of* **ser**
seco -a dry
secretamente secretly
secreto -a secret; (*noun*) secret; **en —** secretly
sed thirst
seda silk
segar to cut down, mow down
segregar to segregate
seguida succession; **en —** immediately, at once
seguido -a (de) followed (by)
seguir to follow, continue, go on, keep on; **van siguiendo** keep on following

según as, according to, according as; **— él** according to him, according to his way of thinking
segundo -a second; (*noun*) second
seguridad assurance
seguramente surely, certainly
seguro -a sure, certain; safe
seis six
selva woods
sellar to seal; insure
semana week
semblante face, countenance
sembrado -a (de) sown (with), strewn (with)
sembrar to sow, strew
semejante (a) like, similar (to)
semejanza resemblance
semi-obscuridad semi-darkness
sencillo -a simple, unassuming
sendero path
seno bosom
sensación sensation, feeling
sentarse to sit down
sentencia sentence
sentenciado -a sentenced; **el —** the sentenced man, the man sentenced
sentido sense, feeling
sentimiento sentiment, feeling; regret
sentir to feel, hear, notice; **—se** to feel
señal sign, token; **en — de** as a token of
señalar to point out, name
señor sir, lord, master (*usually not translated when used with titles*)
señora lady, mistress
separación separation
separado -a separated, parted; separate, apart
separar to separate, take away; **—se (de)** to leave; **—se de su lado** to leave her (him)
septentrional northern
septiembre September
sepulcro sepulcher
sepultura grave, tomb
ser to be; **era que** the fact was that, it was because; **era de presumirse** it was to be presumed; **del que fué** of him who had been; **hubiera sido** it would have been; **fuese** should be; **sea** (*subj.*) be
ser (*noun*) being, life, existence
serenidad serenity, calmness
sereno -a serene, gentle
serranía ridge
serranilla *type of poem in which is described the meeting of a city-bred man with a rustic maid*
servicio service; **hacer el — de** to do duty as, serve as
servir to serve, be used; **— de** to serve as
sesenta sixty
setecientos -as seven hundred
severo -a severe, grave, harsh, strict
si if, whether; since
sí him, himself, her, herself, one's self, *etc.*
sí yes; indeed
siembra sowing
siempre always; **para —** forever; **por —** forever; **lo de —** as usual; the usual thing; **— que** provided that
sien temple
siervo servant
siesta siesta (*midday or afternoon nap*)
siete seven

sig-a, -as *see* **seguir**
sigilo secrecy; **con —** secretly
sigilosamente secretly
siglo century
significar to signify, mean
siguiente following; **al día — de . . .** the day after . . .
sigu-e, -iendo, -ieron, -ió *see* **seguir**
sílaba syllable
silbo whistling
silencio silence; **que haya mucho —** let everything be very quiet
silencioso -a silent, still
símbolo symbol
simiente seed
simplicidad simplicity
simplísimo -a most simple, very simple
sin without; **— que** without; **—** + *inf.* without + *pres. part.* **— . . . alguno** without any . . .
sincero -a sincere
singular singular, particular
siniestro -a sinister, ominous
sino but; except; **no . . . —** only
sinónimo synonym
sintió *see* **sentir**
sirv-e, -iendo, -ió *see* **servir**
sitiador besieger
sitiar to besiege
sitio place, spot; siege
situación situation, condition
situado -a situated
situarse to establish one's self, take one's position
soberano -a supreme; (*noun*) sovereign
soberbio proud, haughty
sobre on, upon, about, concerning, over, above; **— todo** above all, especially; **por —** over, above
sobrecargar (de) to overburden (with)
sobrehumano -a superhuman
sobresaltado -a in sudden fear
social social
sociedad society; **de la primera —** of the high society
socorro succor, help, aid; **acudir en —** to come to the aid
sofocar to smother, put down; **— en germen** to nip in the bud
sois *see* **ser**
sol sun; **— poniente** setting sun; **al —** in the sun; **al — de abril** under the April sun; **luz de —** sunlight; **— de encendidos oros** bright golden sun; **— de miel fulgente** mellow golden sun; **puesta del —** sunset; **—es** (*poet.*) eyes
solamente only
soldado soldier; **— de a caballo** mounted soldier
soledad solitude
solemne solemn, binding
soler to be accustomed, be wont
sólidamente solidly, completely
solidez solidity, solidness
solitario -a solitary, alone
solo -a alone, single, solitary, mere; **uno —** a single one; **a solas** alone
sólo only; **no — . . . sino también** not only . . . but also
sollozar to sob
sollozo sob
sombra shadow, darkness, shade
sombríamente gloomily
sombrío -a gloomy, dark, shady
someter to subdue
son sound

sonar to sound, ring, blow
sonido sound
sonoro -a sonorous, musical; **— de** vibrating with
sonreír to smile
sonriendo *see* **sonreír**
sonriente smiling
sonrío *see* **sonreír**
sonrisa smile
sonrojo blush
sonrosado -a blushing, pink
soñar to dream; **— con** to dream of
soplo blast, gust
sopor lethargy
sordo -a deaf
sorprender to surprise
sorprendido -a surprised, in surprise
sorpresa surprise
sosiego tranquillity, calm
sospechar to suspect
sostener to support, hold up; **—se** to hold out
sostenido -a supported, held up
su his, her, its, your, their
suave gentle, delicate
súbdito subject
subir to rise, climb, go *or* come up
súbitamente suddenly
súbito -a sudden
sublevarse to rise (in rebellion)
sublime sublime
subrayado -a underscored
subsistencia subsistence; **—s** provisions
subterráneo -a subterranean
suceder to happen
sucesivamente in succession
suceso event, occurrence
sucesivo -a successive
sucesor successor
sud south; **Sud América** South America
sudamericano -a South American
sudeste southeast
suelo ground, soil, land
suelto -a light, easy; loose, flowing (*of hair*)
suena *see* **sonar**
sueño sleep
suerte fate, luck, lot; **quiso la — que fuese** fate willed it that she should be; **les cupo la misma —** the same lot befell them; they had the same luck
sufrimiento suffering
sufrir to suffer; undergo
sujetar to subdue, overpower; hold
sumar to amount to
sumisión submission
sumo -a highest
supiera (*imperf. subj. of* **saber**) did know, had known, knew; **si lo supieras** if you only knew
supieron *see* **saber**
suplicar to beg, implore
supo *see* **saber**
supremo -a supreme
sur south; **la América del Sur** South America; **al —** in the south
surcar to furrow; cut through, pass over
surco furrow
surgir to surge, rise up, spring up
suroeste southwest
suspender to put off
suspirar to sigh
suspiro sigh
sustantivo noun
sustituir to substitute

sustitúya(n)se *impve. of* **sustituir** + **se** substitute
sustituye *see* **sustituir**
suyo -a his, hers, its, theirs, one's, yours; of his, of hers, *etc.;* **un . . . —** a . . . of his; **los —s** his men

T

tabique partition
tal such, such a, thus; **— vez** perhaps; **— como** just as; **en — día** on that day; **— ocurre** such is the case
talismán talisman
talla stature, size
tallado -a carved
talle shape, figure
tallo stalk, stem
también too, also
tambor drum
tan so, such (a); **— . . . como** as . . . as, both . . . and
tanto -a so much, as much, so great; **—s** so many
tardar to delay; **— en** to be long in
tarde (*adv.*) late; (*noun*) afternoon, evening
tardo -a tardy, slow
tarea task
te you, to you, for you
tecotl (*Aztec term*) owl
techo roof
techumbre high roof, canopy
tejedor -a weaver
tejer to weave, spin
tejido weave, fabric, texture
tela web
tema exercise
temblante trembling, quivering
temblar to tremble, quiver, shake
temeroso -a timid, fearful
temible terrible, dreaded
tempestad storm
tempestuoso -a stormy, tempestuous
templar to temper, soften
templo temple; church
tempranero -a early, early-rising
temprano -a early
tenaces *see* **tenaz**
tenacidad firmness, stubbornness
tenaz stubborn, firm
tenazmente stubbornly, firmly
tender to extend, spread out; **—se** to spread out, stretch
tendido -a stretched out, spread out
tendr-á, -ía *see* **tener**
tener to have, hold, keep; **— que** to have to, must; **aquí tienes** here is (are); **— . . . años** to be . . . years old; **¿qué tiene?** what is the matter with him?
Tenochtitlán *capital of the ancient Aztec empire, on the site of the present City of Mexico*
tentación temptation; **me vino la —** the temptation seized me
tenue thin, delicate, faint
teñido -a (de) tinted (with), stained (with)
teñir to tint, stain
teocalli (*Aztec term*) temple
teponaxtli (*Aztec term, a kind of*) horn
tercer *short form of* **tercero**
tercero -a third
terminado -a finished; **y —s** and when they were finished
terminar to finish, end
término term, word
ternura tenderness; **—s** affection

terreno land, country
terrible terrible
territorio territory
terror terror, fright
tesón tenacity, firmness; **con —** stubbornly
tesoro treasure
tez complexion, skin
ti you
tibio -a mild
tico -a (*Costa Rican term*) Costa Rican
tiembla *see* **temblar**
tiempo time, weather; tense; **al mismo —** at the same time; **a un —** at one time; **a su —** in time; **en poco —** in a short time; **en otro —** formerly, in former times; **por ese —** at that time, during that time; **por más —** any longer; **— atrás** some time before; **el — se me había pasado sin sentir** time had flown without my realizing it
tiende *see* **tender**
tien-e, -es *see* **tener**
tientas: a — groping
tierno -a tender, gentle
tierra earth, land; **— adentro** inland, on land; **rodar por —** to roll on the ground
timbúe *Indian of a tribe that dwelt along the Plata River in Argentina*
tiniebla(s) darkness
tiñ-es, -a *see* **teñir**
típico -a typical
tipo type; **— grueso** black type
tirano tyrant
tiro shot
título title
toa = **toda**
tocar to touch; play (*an instrument*); ring, blow, sound; **— a** to ring for, blow; **— le a uno** to be one's lot, fall to, be one's turn; **— a su fin** to come to an end; **me tocó en turno la vigilancia** it was my turn to be on guard
todavía still, yet
todo -a all, whole, every, entire, everything; **sobre —** above all, especially; **— el** the whole; **— lo que** all that, everything (that); **el — por el —** all for all; **—s** all, everybody, every one
tola (*Ecuadorian Indian term*) mound, grave
tomar to take; **— parte** to take *or* have (a) part; **— la resolución** to resolve, declare; **— vuelo** to take a start
tono tone
tornar to return; **— a . . .** to . . . again
torno turn; **en —** around (me)
tornasolado -a iridescent
toro bull
torre belfry, tower
tortuoso -a crooked, winding
toscamente roughly, rudely, crudely
trabajar to work
trabajo work, task; construction
trabar to fight
tradición tradition
traducción translation
traducir to translate
tradúzca(n)se *impve. of* **traducir** + **se** translate
traer to bring, carry, take along; wear; **se la trajo** he took it along

tráfico traffic
trágico -a tragic
traición treason, treachery; **a —** by treachery
traidor -a treacherous; (*noun*) traitor
traje suit (*of clothes*), dress; **vistiendo — de gala** in gala attire
trajo *see* **traer**
¡tram! tramp!
trance danger; point; **en — de** at the point of; **a todo —** at all costs, at all hazards
tranquilo -a tranquil, calm, soothing
transcurrir to pass, transpire; flow; **transcurrido algún tiempo** some time having elapsed
transformarse to transform, change
transposición transposition
tras after, behind, beyond
trasladarse to move
traspasar to pierce, go through, go beyond
tratado treaty; treatise
tratar (de) to try (to), associate (with), discuss; **—se de** to be a matter of; **que no se tratasen** that they should have nothing to do with each other
través: a — de through; **al — de** through, across
travesaño bar, crossbar
travesura mischief: (*pl.*) mischievous actions, mischief
tregua truce; **sin —** incessant(ly), continuous(ly)
treinta thirty
tremendo -a tremendous
trémulo -a tremulous, quivering
trenza tress; **—s de azabache** jet-black tresses
trepador -a climbing
tres three
tribu tribe
tribulación tribulation
trigueña brunette
trigueñita little brunette
trinchera trench
trino warble
triolet triolet (*a poem of eight lines with one rime in lines 2, 6 and 8, and another in the other lines*)
trípode tripod
triple triple
triste sad, gloomy, mournful; **— del hombre** alas for the man
tristeza sadness, sorrow; sad look
triunfal triumphant
triunfar (de) to triumph (over)
triunfo triumph
tronco trunk, stem
trono throne
tropa troops, soldiers
tropezar to meet (with), find
tropical tropical
trópico tropic; **del —** of the tropics
trueno thunder, thunderclap; **en voz de —** in a thundering voice
tu your
tú you
tumba tomb, grave
tumultuoso -a turbulent, noisy
turbado -a disturbed, perturbed
turbador -a disturbing, uneasy
turbar to disturb
turbio -a muddy
turgente swollen, swelling

turno turn
turú (*Guarany term, a kind of*) horn
tuv-iera, -o *see* **tener**
tuyo -a yours, of yours

U

ufano -a proud
último -a last; **por —** finally, at last
un, uno -a a, an, one; (*emphatic*) such a; **la una** one o'clock; **a una** in unison; **unos -as** some, a few; a pair, *as* **unos ojos** a pair of eyes; **ni uno solo** not even one; **una a una** one by one
único -a only, sole
uniforme uniform; **de —** in uniform; **y así vestido de —** and in this uniform
unir to unite, join; **si no ha de —se . . .** if . . . is not to be joined, if . . . shall not be united
Uruguay Uruguay (*a great grain-producing and cattle-raising country. Area, 72,210 sq. mi.; pop., 2,036,884; capital, Montevideo, 655,599*)
uruguayo -a Uruguayan
utilidad profit

V

va *see* **ir**
vaca cow
vacada cattle
vacilante unsteady
vacilar to stagger, hesitate
vacío -a empty; (*noun*) void, space
vadear to ford; **no se podía —** could not be forded
vagar to wander, rove; **— errante** to wander haphazardly
vago -a vague, wandering, dim, obscure
vaguedad vagueness, faintness, dimness; **la — de su matiz** its faint hue
vaho steam, vapor; **echando —** steaming
valer to be worth; **— la pena** to be worth the trouble
valerosamente valiantly, bravely
valeroso -a valiant, brave
valgo *see* **valer**
valiente valiant, brave
valor valor, courage
valle valley
vallecito little valley
vanidoso -a haughty, vain
vano -a vain, useless, empty; unsubstantial; **casi —a** diaphanous; **en —** in vain
vapor steamer; mist
vaquera cowgirl
vara yard
vario -a varied; **—s** various, several
vástago descendent, member
vasto -a vast
vaya *see* **ir**; **¡vaya!** indeed! certainly!
ve *impve. of* **ir**
vecino -a neighboring, nearby; **— a** near
vegetación vegetation
vehemente vehement, ardent
veinte twenty
veintiún, veintiuna twenty-one
veintidós twenty-two

vela sail
velo veil
veloz rapid
vena vein
vencer to win, conquer, overpower, defeat
vencido -a defeated, overcome
vendar to bandage
vender to sell; betray
veneciano -a Venetian
venerable venerable
veneración veneration, reverence
venerado -a revered, reverenced; **fué muy —** it was held in great reverence
venezolano -a Venezuelan
Venezuela Venezuela (*Agriculture and cattle-raising are the main industries of the country, and coffee and cocoa the principal exports. Area, 393,976 sq. mi.; pop., 3,000,000; capital, Caracas, 135,253*)
venganza vengeance
vengo *see* **venir**
venida coming, arrival
venir to come; **— a** to come to, come and
ventaja advantage
ventana window
ventorrillo small inn, tavern
ventura happiness; **sin —** unhappily; **por —** perchance
venus evening-star; **Venus** Venus (*goddess of love and pleasure*)
ver to see; **hacer —** to show; **—se** to find one's self, be; **se le vió** he was seen; **se la ve** she is seen
verano summer
verdad truth; **ser —** to be true; **¿será —?** can it be true?
verdadero -a real, true
verde green
verdor verdure
verdugo executioner
vergüenza shame, disgrace
verificarse to take place
versión version
verso verse
verter to pour forth, shed
vértigo dizziness, vertigo
vesperal (*poet.*) evening
vestido -a (de) dressed (in); (*noun*) dress
vestir to dress; wear; **—se** to dress (one's self); **y así vestido de uniforme** and in this uniform; **vistiendo traje de gala** in dress uniform, in gala attire
vete *impve. of* **ir + te**
vetusto -a olden, ancient
vez time; **a la —** at the same time; **a la — que** while; **en — de** instead of; **tal —** perhaps; **otra —** again; **de — en cuando** from time to time; **una —** once; **de esta —** this time; **a veces** at times, sometimes, often; **raras veces** rarely; **muchas veces** often, several times; **a veces . . . a veces** at times . . . again; **por tercera —** a third time; **cada — más . . .** more and more . . .
vi *see* **ver**
viajar to travel
vibrante vibrating, vigorous
vibrar to vibrate, resound; dart
víctima victim
victoria victory

vida life, living; **con —** alive
viejecita little old woman
viejecito little old man
viejo -a old; (*noun*) old man *or* old woman
viendo *see* **ver**
viento wind, air
vieron *see* **ver**
vigilancia vigilance, watching; **me tocó en turno la —** it was my turn to be on guard; **tener bajo —** to keep under surveillance
vigilar to watch
vil vile
villa town
vinculado -a bonded, secured; set aside
vin-e, -o *see* **venir**
viña vineyard
vió *see* **ver**
violencia violence
violeta violet
virgen virgin, maid, young woman
visión vision
visionario -a visionary, fantastic
visitante visitor
visitar to visit
víspera eve, day before
vista sight, view, look; eye
vistiendo *see* **vestir**
visto -a *past part. of* **ver; por lo —** apparently, evidently
vistoso -a showy, bright
vivamente lively, quickly; profusely
víveres provisions
vívido -a vivid, bright
vivir to live, be living; (*noun*) life, living
vivo -a alive, living; lively, bright
vociferar to shout
volar to fly, move swiftly, take flight
volcán volcano
voluntad will
volver to return, come back; turn; **— atrás** to go back; **— a . . .** to . . . again; **— en sí** to regain one's consciousness; **para no — a abrirlos** never to open them again; **—se** to return, go back
vomitar (*fig.*) to belch, shoot, hurl
vos you
vosotros -as you
voto vow; **hacer — de** to vow
voz voice; word, term; sound; shout; **con — de trueno** in a thundering voice; **dar una —** to give a shout, give a command; **con — apagada** in a weak voice; **— de mando** commanding voice; **sin —** silent(ly)
vuela *see* **volar**
vuelo flight; wing(s); **alzar el —** to soar in flight; **tomar —** to take a start; **lanzarse a —** to dart off in flight
vuelta return; **de —** back; having returned
vuestro -a your, yours
vulgarmente commonly

Y

y and
ya now, already, any more; **— no** no longer; **— que** since, as long as; **— en pleno día** when daylight came

yacer to lie; be in the grave; **yace por salvar la patria** she died to save her country
yazco *1st per. sing. pres. ind. of* **yacer**
yazgo *1st per. sing. pres. ind. of* **yacer**
yanqui Yankee (*term applied, often disparagingly, to a native of the United States*)
yendo (*pres. part. of* **ir**); **— de camino** walking
yerto -a inert, stark, rigid, motionless
yo I
yugo yoke

Z

zarza bramble
zona zone